MAIGRET HÉSITE

OUVRAGES DE GEORGES SIMENON

AUX PRESSES DE LA CITÉ

COLLECTION MAIGRET

Mon ami Maigret
Maigret chez le coroner
Maigret et la vieille dame
L'amie de Mme Maigret
Maigret et les petits cochons sans queue
Un Noël de Maigret
Maigret au « Picratt's »
Maigret en meublé
Maigret, Lognon et les gangsters
Le revolver de Maigret
Maigret et l'homme du banc
Maigret a peur
Maigret se trompe
Maigret à l'école
Maigret et la jeune morte
Maigret chez le ministre
Maigret et le corps sans tête
Maigret tend un piège
Un échec de Maigret
Maigret s'amuse
Maigret à New York
La pipe de Maigret et Maigret se fâche
Maigret et l'inspecteur Malgracieux
Maigret et son mort
Les vacances de Maigret
Les Mémoires de Maigret
Maigret et la Grande Perche
La première enquête de Maigret
Maigret voyage
Les scrupules de Maigret
Maigret et les témoins récalcitrants
Maigret aux Assises
Une confidence de Maigret
Maigret et les vieillards
Maigret et le voleur paresseux
Maigret et les braves gens
Maigret et le client du samedi
Maigret et le clochard
La colère de Maigret
Maigret et le fantôme
Maigret se défend
La patience de Maigret
Maigret et l'affaire Nahour
Le voleur de Maigret
Maigret à Vichy
Maigret hésite
L'ami d'enfance de Maigret
Maigret et le tueur
Maigret et le marchand de vin
La folie de Maigret
Maigret et l'homme tout seul
Maigret et l'indicateur
Maigret et Monsieur Charles
Les enquêtes du commissaire Maigret (2 volumes)

ROMANS

Je me souviens
Trois chambres à Manhattan
Au bout du rouleau
Lettre à mon juge
Pedigree
La neige était sale
Le fond de la bouteille
Le destin des Malou
Les fantômes du chapelier
La jument perdue
Les quatre jours du pauvre homme
Un nouveau dans la ville
L'enterrement de Monsieur Bouvet
Les volets verts
Tante Jeanne
Le temps d'Anaïs
Une vie comme neuve
Marie qui louche
La mort de Belle
La fenêtre des Rouet
Le petit homme d'Arkhangelsk
La fuite de Monsieur Monde
Le passager clandestin
Les frères Rio
Antoine et Julie
L'escalier de fer
Feux rouges
Crime impuni
L'horloger d'Everton
Le grand Bob
Les témoins
La boule noire
Les complices
En cas de malheur
Le fils
Le nègre
Strip-tease
Le président
Dimanche
La vieille
Le passage de la ligne
Le veuf
L'ours en peluche
Betty
Le train
La porte
Les autres
Les anneaux de Bicêtre
La rue aux trois poussins
La chambre bleue
L'homme au petit chien
Le petit saint
Le train de Venise
Le confessionnal
La mort d'Auguste
Le chat
Le déménagement
La main
La prison
Il y a encore des noisetiers
Novembre
Quand j'étais vieux
Le riche homme
La disparition d'Odile
La cage de verre
Les innocents

MÉMOIRES

Lettre à ma mère
Un homme comme un autre
Des traces de pas
Les petits hommes
Vent du nord vent du sud
Un banc au soleil
De la cave au grenier
A l'abri de notre arbre
Tant que je suis vivant
Vacances obligatoires
La main dans la main
Au-delà de ma porte-fenêtre
Je suis resté un enfant de chœur
Point-virgule
A quoi bon jurer ?
Le prix d'un homme

GEORGES SIMENON

MAIGRET HÉSITE

PRESSES DE LA CITÉ
PARIS

ISBN 2-258-00079-3

CHAPITRE PREMIER

— SALUT, JANVIER

— Bonjour, patron.

— Bonjour, Lucas. Bonjour, Lapointe...

En arrivant à celui-ci, Maigret ne pouvait s'empêcher de sourire. Pas seulement parce que le jeune Lapointe arborait un complet neuf, très ajusté, d'un gris pâle moucheté de minces fils rouges. Tout le monde souriait, ce matin-là, dans les rues, dans l'autobus, dans les boutiques.

On avait eu, la veille, un dimanche gris et venteux, avec des rafales de pluie froide qui rappelaient l'hiver, et soudain, bien qu'on ne fût que le 4 mars, on venait de se réveiller au printemps.

Certes, le soleil restait un peu acide, le bleu du ciel fragile, mais il y avait de la gaieté dans l'air, dans les yeux des passants, une sorte de complicité dans la joie de vivre et de retrouver la savoureuse odeur du Paris matinal.

Maigret était venu en veston et avait parcouru

une bonne partie du chemin à pied. Tout de suite en arrivant dans son bureau, il était allé entrouvrir la fenêtre et la Seine aussi avait changé de couleur, les lignes rouges, sur la cheminée des remorqueurs, étaient plus vibrantes, les péniches remises à neuf.

Il avait ouvert la porte du bureau des inspecteurs.

— Vous venez, les enfants?...

C'était ce qu'on appelait le « petit rapport », par opposition au vrai rapport qui, à 9 heures, groupait les commissaires divisionnaires chez le grand patron. Maigret retrouvait ses collaborateurs les plus intimes.

— Bonne journée, hier? demandait-il à Janvier.

— Chez ma belle-mère, à Vaucresson, avec les enfants.

Lapointe, gêné par son complet neuf en avance sur le calendrier, se tenait à l'écart.

Maigret s'asseyait devant son bureau, bourrait une pipe, commençait le dépouillement du courrier.

— Pour toi, Lucas... C'est au sujet de l'affaire Lebourg...

Il tendait d'autres documents à Lapointe.

— A porter au Parquet...

On ne pouvait pas encore parler de feuillage mais il n'y en avait pas moins un soupçon de vert pâle dans les arbres du quai.

Aucune grosse affaire en cours, de ces affaires qui remplissent les couloirs de la P.J. de journalistes et de photographes et qui provoquent des coups de téléphone impératifs venant de très haut lieu. Rien que du courant. Affaires à suivre...

— Un fou ou une folle, annonça-t-il en saisissant une enveloppe sur laquelle son nom et l'adresse du quai des Orfèvres étaient écrits en caractères bâtonnets.

L'enveloppe était blanche, de bonne qualité. Le timbre portait le cachet du bureau de poste de la rue de Miromesnil. Ce qui frappa d'abord le commissaire, quand il retira la feuille, ce fut le papier, un vélin épais et craquant qui n'était pas d'un format habituel. On avait dû couper le haut afin de faire disparaître l'en-tête gravé et ce travail avait été accompli avec soin, à l'aide d'une règle et d'une lame bien aiguisée.

Le texte, comme l'adresse, était en caractères bâtonnets très réguliers.

— Peut-être pas fou, grommela-t-il.

« *Monsieur le Divisionnaire,*

« *Je ne vous connais pas personnellement mais ce que j'ai lu de vos enquêtes et de votre attitude vis-à-vis des criminels me donne confiance. Cette lettre vous étonnera. Ne la jetez pas trop vite au panier. Ce n'est ni une plaisanterie ni l'œuvre d'un maniaque.*

« *Vous savez mieux que moi que la réalité n'est pas toujours vraisemblable. Un meurtre sera commis prochainement, sans doute dans quelques jours. Peut-être par quelqu'un que je connais, peut-être par moi-même.*

« *Je ne vous écris pas pour empêcher que le drame se produise. Il est en quelque sorte inéluctable. Mais j'aimerais que, lorsque l'événement se produira, vous sachiez.*

« *Si vous me prenez au sérieux, veuillez insérer dans les petites annonces du* Figaro *ou du* Monde *l'avis suivant : K.R. Attends seconde lettre.*

« J'ignore si je l'écrirai. Je suis très troublé. Certaines décisions sont difficiles à prendre.

« Je vous verrai peut-être un jour, dans votre bureau, mais nous serons alors chacun d'un côté de la barrière.

« Votre dévoué. »

Il ne souriait plus. Les sourcils froncés, il laissait son regard errer sur la feuille, puis regardait ses collaborateurs.

— Non, je ne crois pas qu'il s'agisse d'un fou, répéta-t-il. Ecoutez.

Il leur lut le texte, lentement, en appuyant sur certains mots. Il avait déjà reçu des lettres de ce genre mais, la plupart du temps, la langue en était moins choisie et surtout certaines phrases étaient soulignées. Souvent elles étaient écrites à l'encre rouge, ou verte, et beaucoup comportaient des fautes d'orthographe.

Ici, la main n'avait pas tremblé. Les traits étaient fermes, sans fioritures, sans une rature.

Il regarda le papier en transparence et lut en filigrane : Vélin du Morvan.

Il recevait chaque année des centaines de lettres anonymes. A de rares exceptions près, elles étaient écrites sur du papier bon marché qu'on trouve dans les épiceries de quartier et parfois les mots étaient découpés dans les journaux.

— Pas de menace précise... murmura-t-il. Une angoisse sourde... *Le Figaro* et *le Monde,* deux quotidiens lus surtout par la bourgeoisie intellectuelle...

Il les regarda à nouveau tous les trois.

— Tu t'en occupes, Lapointe? La première chose à faire est de te mettre en rapport avec le fabricant de papier, qui doit se trouver dans le Morvan...

— Compris, patron...

Tel fut le commencement d'une affaire qui allait donner à Maigret plus de soucis que bien des crimes s'étalant à la première page des journaux.

— Tu fais insérer l'annonce...

— Dans *le Figaro*?

— Dans les deux journaux.

Une sonnerie annonçait le rapport, le vrai, et Maigret, un dossier à la main, se dirigea vers le bureau du directeur. Ici aussi, la fenêtre ouverte laissait pénétrer les bruits de la ville. Un des commissaires arborait un brin de mimosa à sa boutonnière et il éprouva le besoin d'expliquer :

— On les vend dans la rue pour une œuvre...

Maigret ne parla pas de la lettre. Sa pipe était bonne. Il observait mollement le visage de ses collègues exposant tour à tour leurs petites affaires et il calculait mentalement le nombre de fois qu'il avait assisté à la même cérémonie. Des milliers.

Mais, beaucoup plus de fois, il avait envié le divisionnaire dont il dépendait alors d'entrer ainsi chaque matin dans le saint des saints. Cela ne devait-il pas être merveilleux d'être chef de la brigade criminelle? Il n'osait pas y rêver, alors, pas plus qu'aujourd'hui Lapointe ou Janvier, ni même son bon Lucas.

C'était arrivé quand même et, depuis tant d'années que cela durait, il ne s'en rendait plus compte, sinon un matin comme celui-ci, quand le goût de l'air était savoureux et qu'au lieu de pester contre le vacarme des autobus on souriait.

-:-

Il fut surpris, en rentrant dans son bureau une demi-heure plus tard, d'y trouver Lapointe debout devant la fenêtre. Son complet à la nouvelle mode le faisait paraître plus mince, plus long, beaucoup plus jeune. Vingt ans auparavant, un inspecteur n'aurait pas été autorisé à s'habiller ainsi.

— Cela a été presque trop facile, patron.

— Tu as retrouvé le fabricant de papier?

— Géron et fils, qui possèdent depuis trois ou quatre générations les Moulins du Morvan, à Autun... Ce n'est pas une usine... Il s'agit de fabrication artisanale... Le papier est fait à la forme, soit pour des éditions de luxe, surtout des poèmes, paraît-il, soit pour du papier à lettres... Les Géron n'ont pas plus d'une dizaine d'ouvriers... A ce qu'ils m'ont dit, il subsiste encore un certain nombre de moulins de ce genre dans la région...

— Tu as le nom de leur représentant à Paris?

— Ils n'ont pas de représentant... Ils travaillent directement avec des éditeurs d'art et avec deux papeteries, l'une rue du Faubourg-Saint-Honoré, l'autre avenue de l'Opéra...

— Ce n'est pas tout en haut du faubourg Saint-Honoré, à gauche?

— Je crois, d'après le numéro... La papeterie Roman...

Maigret la connaissait pour s'être arrêté souvent devant la vitrine. On y voyait des cartons d'invitation, des cartes de visite et on lisait des noms qu'on n'a plus l'habitude d'entendre :

Le comte et la comtesse de Vaudry
ont l'honneur de...
La baronne de Grand-Lussac
a la joie de vous annoncer...

Des princes, des ducs, authentiques ou non, dont on se demandait s'ils existaient encore. Ils s'invitaient à des dîners, à des chasses, à des bridges, s'annonçaient le mariage de leur fille ou la naissance d'un bébé, tout cela sur du papier somptueux.

Dans la seconde vitrine, on admirait des sous-main armoriés, des cahiers reliés de maroquin pour les menus journaliers.

— Tu ferais mieux d'aller les voir.

— Roman?

— J'ai l'impression que c'est plutôt le quartier...

Le magasin de l'avenue de l'Opéra était distingué, mais vendait aussi des stylos et des articles de papeterie courante.

— J'y cours, patron...

Veinard! Maigret le regardait partir comme quand, en classe, l'instituteur envoyait un de ses camarades faire une course. Il n'avait que de la besogne ordinaire, des paperasses, toujours des paperasses, un rapport, sans le moindre intérêt, pour un juge d'instruction qui le classerait sans le lire car l'affaire était enterrée.

La fumée de sa pipe commençait à bleuir l'air et une très légère brise venait de la Seine, faisant frémir les papiers. A onze heures déjà, un Lapointe pétulant, débordant de vie, entrait dans le bureau.

— C'est toujours trop facile.

— Que veux-tu dire?

— On pourrait croire qu'on a choisi ce papier-là exprès. Entre parenthèses, la Papeterie Roman n'est plus tenue par M. Roman, qui est mort il y a dix ans, mais par une Mme Laubier, une veuve d'une cinquantaine d'années qui ne m'a laissé partir qu'à regret... Depuis cinq ans, elle n'a pas commandé de papier de cette qualité, faute d'acheteurs... Non seulement il est hors de prix, mais il prend mal l'écriture à la machine...

« Il lui restait trois clients... L'un est mort l'an dernier, un comte qui possédait un château en Normandie et une écurie de course... Sa veuve vit à Cannes et n'a jamais recommandé de papier à lettres... Il y avait aussi une ambassade mais, quand l'ambassadeur a été changé, le nouveau a commandé un papier différent... »

— Reste un client?

— Reste un client, et c'est pourquoi je dis que c'est trop facile. Il s'agit de M. Emile Parendon, avocat, avenue Marigny, qui utilise ce papier depuis plus de quinze ans et qui n'en veut pas d'autre... Vous connaissez ce nom-là?

— Jamais entendu... Il en a commandé récemment?...

— La dernière fois, c'était en octobre dernier...

— Avec en-tête?

— Oui. Très discret. Toujours mille feuilles et mille enveloppes...

Maigret décrocha son téléphone.

— Demandez-moi maître Bouvier, s'il vous plaît... Le père...

Un avocat qu'il connaissait depuis plus de vingt ans et dont le fils était également inscrit au Barreau.

— Allô! Bouvier? Ici, Maigret. Je ne vous dérange pas?

— Pas vous, non.

— Je voudrais un renseignement...

— Confidentiel, bien entendu...

— Cela restera en effet entre nous... Connaissez-vous un de vos confrères nommé Emile Parendon?

Bouvier parut surpris.

— Que diable la police judiciaire peut-elle bien vouloir à Parendon?

— Je ne sais pas. Probablement rien.

— Cela me paraît vraisemblable... J'ai rencontré Parendon cinq ou six fois dans ma vie, pas plus... Il ne met pratiquement pas les pieds au Palais et c'est seulement pour des affaires civiles...

— Quel âge?

— Pas d'âge. Je répondrais aussi bien quarante que cinquante...

Il dut se tourner vers sa secrétaire.

— Mon petit, cherchez-moi dans l'annuaire du Barreau la date de naissance de Parendon... Emile... D'ailleurs, il n'en existe qu'un...

Puis, à Maigret :

— Vous devez avoir entendu parler de son père, qui vit encore ou qui n'est mort que récemment... Le professeur Parendon, chirurgien à Laënnec... Membre de l'Académie de Médecine, de l'Académie des Sciences Morales et Politiques, et tout, et tout... Un personnage!... Quand je vous verrai, je vous en raconterai sur son compte... Il était arrivé tout jeune, du fond de sa campagne... Petit et costaud, il avait l'air d'un jeune taureau, et il n'en n'avait pas seulement l'air...

— Et son fils?

— C'est plutôt un juriste. Il s'est spécialisé dans le droit international et en particulier dans le droit maritime... On prétend qu'il est imbattable dans cette partie... On vient le consulter de tous les coins du monde et on demande souvent son arbitrage dans des affaires délicates qui mettent de gros intérêts en jeu...

— Quel genre d'homme?

— Insignifiant... Je ne suis pas sûr de le reconnaître dans la rue...

— Marié?

— Merci, mon petit... Voilà... J'ai son âge... Quarante-six ans... S'il est marié?... J'allais répondre que je ne m'en souvenais pas, mais cela me revient... Bien sûr, qu'il est marié... Et drôlement bien marié!... Il a épousé une des filles de Gassin de Beaulieu... Vous connaissez... Il a été un des magistrats les plus féroces à la Libération... Nommé ensuite Premier Président à la Cour de Cassation... Il doit avoir pris sa retraite dans son château de Vendée... La famille est très riche...

— Vous ne savez rien d'autre?

— Que voudriez-vous que je sache par surcroît... Je n'ai jamais eu à défendre ces gens-là en Correctionnelle ou aux Assises...

— Ils sortent beaucoup?

— Les Parendon? En tout cas, pas dans les milieux que je fréquente...

— Merci, mon vieux...

— A charge de revanche...

Maigret relut la lettre que Lapointe avait posée sur son bureau. Il la relut deux fois, trois fois, et à chaque fois son front se rembrunissait davantage.

— Vous comprenez ce que tout cela signifie?

— Oui, patron. Des emmerdements. Je m'excuse du mot, mais...

— Il est probablement trop faible. Un chirurgien illustre, un Premier Président, un spécialiste en droit maritime qui habite l'avenue Marigny et qui se sert du papier le plus coûteux...

Le genre de clientèle que Maigret craignait le plus. Il avait déjà l'impression de marcher sur des œufs.

— Vous croyez que c'est lui qui a écrit cette...

— Lui ou quelqu'un de sa maisonnée, quelqu'un, en tout cas, qui a accès à son papier à lettres...

— C'est curieux, n'est-ce pas?

Maigret, qui regardait par la fenêtre, ne répondit pas. Les gens qui écrivent des lettres anonymes, en général, n'ont pas l'habitude d'employer leur propre papier à lettres, surtout s'il est d'une qualité aussi rare.

— Tant pis! Il faut que j'aille le voir.

Il chercha le numéro à l'annuaire, appela sur la ligne directe. Une voix de femme répondit :

— La secrétaire de maître Parendon...

— Bonjour, Mademoiselle... Ici, le commissaire Maigret, de la Police Judiciaire... Me serait-il possible, sans le déranger, de dire un mot à maître Parendon?...

— Un instant, s'il vous plaît... Je vais voir...

Cela se passa le plus simplement du monde. Une voix d'homme dit, presque tout de suite :

— Ici, Parendon...

Il y avait, dans le ton, comme une interrogation.

— Je voudrais vous demander, Maître...

— Qui est à l'appareil? Ma secrétaire n'a pas très bien compris votre nom...

— Commissaire Maigret...

— Je m'explique maintenant sa surprise... Elle a dû comprendre, mais elle ne s'est pas imaginé que c'est vraiment vous qui... Très heureux d'entendre votre voix, Monsieur Maigret... J'ai souvent pensé à vous...Il m'est même arrivé d'hésiter à vous écrire pour vous demander votre opinion sur certaines questions... Vous sachant occupé comme vous l'êtes, je n'ai pas osé...

Parendon avait une voix de timide et pourtant c'était Maigret le plus gêné des deux. Il se sentait ridicule, à présent, avec sa lettre qui n'avait aucun sens.

— C'est moi qui vous dérange, vous voyez... Et, par-dessus le marché, pour une vétille... Je préférerais vous en parler de vive voix, car j'ai un document à vous montrer...

— Quand voulez-vous?

— Avez-vous un moment de libre dans le courant de l'après-midi?

— Trois heures et demie vous conviendrait?... Je vous avoue que j'ai l'habitude d'une courte sieste et que je me sens mal en point quand elle me manque...

— D'accord pour trois heures et demie... Je serai chez vous... Et merci pour votre aimable coopération...

— C'est moi qui me félicite de votre visite...

Quand il raccrocha, il regarda Lapointe comme s'il sortait d'un rêve.

— Il n'a pas paru surpris?

— Pas le moins du monde... Il n'a pas posé de questions... Il est tout heureux, semble-t-il, de faire ma connaissance... Un seul détail m'instrigue... Il prétend qu'il a failli m'écrire plusieurs fois pour me demander une opinion... Or, il ne plaide pas au Criminel mais seulement au Civil... Sa spécialité, c'est le Code Maritime dont je ne connais pas le premier mot... Me demander mon opinion sur quoi?...

Maigret tricha, ce jour-là. Il téléphona à sa femme qu'il était retenu par son travail. Il avait envie de fêter ce soleil printanier en déjeunant à la brasserie Dauphine où il s'offrit même un pastis au comptoir.

Si des emmerdements l'attendaient, comme disait Lapointe, tout au moins commençaient-ils d'une façon agréable.

-:-

Maigret avait pris l'autobus jusqu'au Rond-Point et, dans les cent mètres qu'il parcourut à pied avenue Marigny, il rencontra au moins trois visages qu'il crut reconnaître. Il avait oublié qu'il longeait les jardins de l'Elysée et que le quartier était jour et nuit sous bonne garde. Les anges gardiens le reconnaissaient, eux aussi, lui adressaient un petit salut à la fois discret et respectueux.

L'immeuble qu'habitait Parendon était vaste, solide, bâti pour défier les siècles. La porte cochère était flanquée de candélabres de bronze. De la voûte, on apercevait, non une loge de concierge, mais un véritable salon, avec une table recouverte de velours vert, comme dans un ministère.

Ici aussi, le commissaire trouva un visage de connaissance, un certain Lamule ou Lamure, qui avait travaillé longtemps rue des Saussaies.

Il portait un uniforme gris à boutons d'argent et il parut surpris de voir Maigret surgir devant lui.

— Qui venez-vous voir, patron?

— Maître Parendon.

— Ascenseur ou escalier de gauche. C'est au premier étage...

Il y avait une cour, au fond, des voitures, des garages, des bâtiments bas qui avaient dû être des écuries. Maigret vida machinalement sa pipe en la frappant sur son talon avant de s'engager dans l'escalier de marbre.

Quand il sonna à l'unique porte, un maître d'hôtel en veste blanche lui ouvrit comme s'il s'était tenu aux aguets.

— Maître Parendon... J'ai rendez-vous...

— Par ici, Monsieur le Commissaire...

Il lui prenait d'autorité son chapeau. l'introduisait dans une bibliothèque comme le commissaire n'en avait jamais vue. La pièce, toute en longueur, était très haute de plafond et des livres en couvraient les murs du haut en bas, à l'exception de la cheminée de marbre sur laquelle se trouvait le buste d'un homme d'un certain âge. Tous les ouvrages étaient reliés, la plupart en rouge. Le mobilier se réduisait à une longue table, à deux chaises et à un fauteuil.

Il aurait aimé examiner les titres des volumes, mais déjà une jeune secrétaire portant des lunettes s'avançait vers lui.

— Voulez-vous me suivre, Monsieur le Divisionnaire?

Du soleil entrait partout par les fenêtres qui avaient plus de trois mètres de haut, se jouait sur les moquettes, sur les meubles, sur les tableaux. Car, dès le couloir, ce n'étaient que consoles anciennes, meubles de style, bustes, tableaux représentant des messieurs dans des costumes de toutes les époques.

La jeune fille ouvrait une porte de chêne clair et un homme, assis à son bureau, se levait pour s'avancer à la rencontre du visiteur. Il portait des lunettes, lui aussi, à verres très épais.

— Merci, Mademoiselle Vague...

Le chemin à parcourir était long, car la pièce était aussi vaste qu'un salon de réception. Ici aussi, les murs étaient couverts de livres, avec quelques portraits, et le soleil découpait l'ensemble en losanges.

— Si vous saviez combien je suis heureux de vous voir, Monsieur Maigret...

Il tendait la main, une petite main blanche qui semblait sans ossature. Par contraste avec le décor, l'homme paraissait plus petit encore qu'il ne devait l'être réellement, petit et frêle, d'une curieuse légèreté.

Pourtant, il n'était pas maigre. Ses contours étaient plutôt ronds, mais l'ensemble était sans poids, sans consistance.

— Venez par ici, je vous prie... Voyons... Où préférez-vous vous asseoir?...

Il lui désignait un fauteuil de cuir fauve près de son bureau.

— Je crois que c'est ici que vous serez le mieux... Je suis un peu dur d'oreille...

Son ami Bouvier avait eu raison de dire qu'il n'avait pas d'âge. Il conservait dans l'expression de son visage, de ses yeux bleus, une expression presque enfantine et il regardait le commissaire avec une sorte d'émerveillement.

— Vous ne pouvez vous imaginer le nombre de fois que j'ai pensé à vous... Lorsque vous vous occupez d'une enquête, je dévore plusieurs journaux, afin de n'en rien perdre... Je dirais presque que je guette vos réactions...

Maigret se sentait gêné. Il avait fini par s'habituer à la curiosité du public, mais l'enthousiasme d'un homme comme Parendon le mettait dans une position embarrassante.

— Vous savez, mes réactions sont celles que tout le monde aurait à ma place...

— Tout le monde peut-être... Mais tout le monde n'existe pas... C'est un mythe... Ce qui n'est pas un mythe, c'est le Code Pénal, les magistrats, les jurés.. Et les jurés qui, la veille, appartenaient à tout le monde, deviennent des personnages différents dès le moment où ils pénètrent dans la salle des assises...

Il était vêtu de gris sombre et le bureau auquel il s'accoudait était beaucoup trop grand pour lui. Cependant, il n'était pas ridicule. Peut-être n'était-ce pas la naïveté non plus qui écarquillait ses prunelles derrière les gros verres des lunettes.

Enfant, à l'école, il avait peut-être souffert d'être appelé demi-portion, mais il en avait pris son parti et il donnait maintenant l'impression d'un gnome bienveillant qui devait refréner sa pétulance.

— Puis-je vous poser une question indiscrète?... A quel âge avez-vous commencé à comprendre les hommes?... Je veux dire à comprendre ceux qu'on appelle des criminels?...

Maigret rougit, balbutia :

— Je ne sais pas... Je ne suis même pas sûr de les comprendre...

— Oh! si... Et ils le sentent bien... C'est, en

partie, la raison pour laquelle ils sont presque soulagés de passer aux aveux...

— Il en est de même pour mes collègues...

— Je pourrais vous prouver le contraire en vous rappelant un certain nombre de cas, mais cela vous ennuierait... Vous avez fait de la médecine, n'est-ce pas?

— Seulement deux ans...

— D'après ce que j'ai lu, votre père est mort et, ne pouvant poursuivre vos études, vous êtes entré dans la police...

La position de Maigret était de plus en plus délicate, presque ridicule. Il était venu pour poser des questions et c'était lui qu'on interviewait.

— Je ne vois pas, dans ce changement, une double vocation, mais une réalisation différente d'une même personnalité... Excusez-moi... Je me suis littéralement jeté sur vous dès votre arrivée... Je vous attendais avec impatience... Je serais allé vous ouvrir dès votre coup de sonnette mais ma femme n'aurait pas aimé ça, car elle tient à un certain décorum...

Sa voix avait baissé de plusieurs tons pour prononcer ces derniers mots et, désignant une immense peinture représentant presque en pied, un magistrat vêtu d'hermine, il souffla :

— Mon beau-père...

— Le Premier Président Gassin de Baulieu...

— Vous connaissez?

Depuis quelques instants, Parendon lui paraissait tellement gamin qu'il préféra avouer :

— Je me suis renseigné avant de venir...

— On vous a dit du mal de lui?

— Il paraît que c'était un grand magistrat...

— Voilà! Un grand magistrat!... Vous connaissez les œuvres d'Henri Ey?...

— J'ai parcouru son manuel de psychiatrie.

— Sengès?... Levy-Valensi?... Maxwell?...

Il désignait, de loin, un panneau de la bibliothèque où des ouvrages portaient ces noms. Or, tous étaient des psychiatres qui ne s'étaient jamais préoccupés de Droit Maritime. Maigret reconnaissait d'autres noms au passage, certains qu'il avait vu citer dans les bulletins de la Société Internationale de Criminologie, d'autres dont il avait vraiment lu les ouvrages. Lagache, Ruyssen, Genil-Perrin...

— Vous ne fumez pas? lui demanda soudain son hôte avec étonnement. Je croyais que vous aviez toujours votre pipe à la bouche.

— Si vous permettez...

— Que puis-je vous offrir? Mon cognac n'est pas fameux, mais j'ai un armagnac d'une quarantaine d'années...

Il trottina vers un mur où un panneau plein, entre les rangs de livres, cachait une cave à liqueur contenant une vingtaine de bouteilles, des verres de différents formats.

— Très peu, je vous en prie...

— Ma femme ne m'en permet qu'une goutte aux grandes occasions... Elle prétend que j'ai le foie fragile... Selon elle, tout est fragile en moi et je n'ai pas un seul organe solide...

Cela l'amusait. Il en parlait sans amertume.

— A votre santé! ... Si je vous ai posé ces questions indiscrètes, c'est que je suis passionné par l'article 64 du Code Pénal que vous connaissez mieux que moi.

En effet, Maigret le connaissait par cœur. Il

l'avait assez souvent sassé et ressassé dans sa tête :

« *Il n'y a ni crime ni délit lorsque le prévenu était en état de démence au temps de l'action, ou lorsqu'il a été contraint par une force à laquelle il n'a pu résister.* »

— Qu'en pensez-vous? questionnait le gnome en se penchant vers lui.

— Je préfère ne pas être magistrat. Ainsi, je n'ai pas à juger...

— Voilà ce que j'aime vous entendre dire... Devant un coupable ou un présumé coupable qui se trouve dans votre bureau, êtes-vous capable de déterminer la part de responsabilité qui peut lui être imputée?

— Rarement... Les psychiatres, par la suite...

— Cette bibliothèque en est pleine, de psychiatres... Les anciens, pour la plupart, répondaient : *responsable,* et s'en allaient la conscience tranquille... Mais relisez Henri Ey, par exemple...

— Je sais...

— Vous parlez l'anglais?

— Très mal.

— Vous savez ce qu'ils appellent un hobby?

— Oui... Un passe-temps... Une activité gratuite... Une manie...

— Eh bien! cher Monsieur Maigret, mon hobby, à moi, ma manie, comme certains disent, c'est l'article 64... Je ne suis pas le seul dans mon cas... Et ce fameux article ne se trouve pas seulement dans le Code français... Sous des termes plus ou moins identiques, on le retrouve aux

Etats-Unis, en Angleterre, en Allemagne, en Italie...

Il s'animait. Son visage plutôt pâle tout à l'heure devenait rose, et il agitait ses petites mains potelées avec une énergie inattendue.

— Nous sommes des milliers dans le monde, que dis-je, des dizaines de milliers qui nous sommes fixés pour tâche de changer ce honteux article 64, vestige de temps révolus. Il ne s'agit pas d'une société secrète. Des groupements officiels existent dans la plupart des pays, des revues, des journaux... Savez-vous ce qu'on nous répond?...

Et, comme pour personnaliser ce *on*, il jetait un coup d'œil au portrait de son beau-père.

— On nous dit :

« — Le Code Pénal est un tout. Si vous en changez une pierre, c'est l'édifice entier qui menace de s'écrouler...

« On nous objecte aussi :

« — En vous suivant, c'est au médecin et non plus au magistrat qu'on laisserait le soin de juger...

« Je pourrais vous en parler pendant des heures. J'ai écrit de nombreux articles sur ce sujet et je me permettrai de vous en faire envoyer par ma secrétaire, ce qui peut paraître outrecuidant de ma part... Les criminels, vous les connaissez, vous, de première main, si je puis dire... Pour les magistrats, ce sont des êtres qui entrent dans telle ou telle case d'une façon quasi-automatique. Vous comprenez?... »

— Oui...

— A votre santé...

Il reprenait son souffle, paraissait surpris lui-même de s'être ainsi emballé.

— Il y a peu de gens avec qui je puisse parler à cœur ouvert... Je ne vous ai pas choqué?

— Pas du tout.

— Au fait, je ne vous ai pas demandé pourquoi vous désiriez me voir... J'ai été tellement enchanté de cette occasion que la question ne m'est pas venue à l'esprit...

Et, avec ironie :

— J'espère qu'il ne s'agit pas de Droit Maritime?

Maigret avait tiré la lettre de sa poche.

— Ce matin, j'ai reçu ce message par la poste. Il n'est pas signé.. Je n'ai aucune certitude qu'il vienne de chez vous... Je vous demande seulement de bien vouloir l'examiner...

Curieusement, comme s'il était surtout sensible au toucher, c'est le papier que l'avocat commença par palper.

— On dirait le mien... On n'en trouve pas facilement... La dernière fois, j'ai dû en faire commander au fabricant par mon graveur...

— C'est bien ce qui m'a amené jusqu'à vous.

Parendon avait changé de lunettes, croisé ses courtes jambes et il lisait en remuant les lèvres, en murmurant parfois certaines syllabes :

... Un meurtre sera commis prochainement... Peut-être par quelqu'un que je connais, peut-être par moi-même...

Il relisait le paragraphe avec attention.

— On dirait que chaque mot a été choisi avec soin, n'est-ce pas?

— C'est l'impression que ce billet m'a donnée.

... Il est en quelque sorte inéluctable...

— J'aime moins cette phrase-là, qui a quelque chose de redondant...

Puis, tendant le papier à Maigret et changeant à nouveau de lunettes :

— Curieux...

Ce n'était pas l'homme des grands mots, de l'emphase. *Curieux.* Là se bornait son commentaire.

— Un détail m'a frappé, expliquait Maigret. L'auteur de cette lettre m'appelle, non pas M. le Commissaire, comme la plupart des gens le font, mais par mon titre officiel : M. le Divisionnaire...

— J'y ai pensé aussi. Vous avez envoyé l'annonce?

— Elle paraîtra ce soir dans *le Monde* et demain matin dans *le Figaro.*

Le plus étrange, c'est que Parendon n'était pas surpris ou que, s'il l'était, il ne le montrait pas. Il regardait la fenêtre, le tronc noueux d'un marronnier, quand son attention fut attirée par un léger bruit. Il ne fut pas surpris non plus. Tournant la tête, il murmura :

— Entre, chérie...

Et, se levant :

— Je te présente le commissaire Maigret en personne...

La femme de quarante ans, élégante, très vive, aux yeux extrêmement mobiles, n'eut besoin que de quelques secondes pour examiner le commissaire de la tête aux pieds. Sans doute, s'il avait eu une petite tache de boue sur son soulier gauche, s'en serait-elle aperçue?

— Enchantée, Monsieur le Commissaire...

J'espère que vous n'êtes pas venu arrêter mon mari?... Avec sa pauvre santé, vous seriez obligé de le mettre à l'infirmerie de la prison...

Elle ne mordait pas. Elle ne disait pas cela méchamment, mais elle le disait quand même, avec le plus enjoué des sourires.

— Il s'agit sans doute d'un de nos domestiques?

— Je n'ai reçu aucune plainte à leur sujet et cela regarderait le commissariat du quartier...

Elle brûlait visiblement de savoir pourquoi il était là. Son mari le sentait aussi bien que Maigret mais aucun des deux, comme par jeu, n'y faisait la moindre allusion.

— Que dites-vous de notre armagnac?

Elle avait repéré les verres.

— J'espère, chéri, que tu n'en as pris qu'une goutte?...

Elle était vêtue de clair, un tailleur déjà printanier.

— Eh bien, Messieurs, je vous laisse à vos affaires... Je voulais te prévenir, chéri, que je ne serai pas de retour avant huit heures... Tu peux toujours, à partir de sept heures, me rejoindre chez Hortense...

Elle ne sortait pas tout de suite, trouvait le moyen, tandis que les deux hommes, debout, se taisaient, de faire le tour de la pièce, changeant un cendrier de place sur un guéridon, remettant un livre dans l'alignement.

— Au revoir, Monsieur Maigret... Je suis enchantée, croyez-moi, de vous avoir rencontré.. Vous êtes un homme extrêmement intéressant...

La porte se referma. Parendon se rassit. Il attendit encore un petit moment, comme si la porte allait se rouvrir. Il eut enfin un rire enfantin.

— Vous avez entendu?

Maigret ne savait que dire.

— *Vous êtes un homme extrêmement intéressant*... Elle enrage que vous ne lui ayez rien dit... Non seulement elle ignore ce que vous êtes venu faire, mais vous ne lui avez parlé ni de sa robe, ni surtout de sa jeunesse... La plus grande joie que vous auriez pu lui donner aurait été de la prendre pour ma fille...

— Vous avez une fille?

— De dix-huit ans, oui. Elle a passé son bac et suit des cours d'archéologie... Cela durera ce que cela durera... L'an dernier, elle voulait devenir laborantine... Je ne la vois pas beaucoup, sinon aux repas, quand elle daigne manger avec nous... J'ai un fils aussi, Jacques, qui a quinze ans et qui est en quatrième au lycée Racine... C'est tout pour la famille...

Il parlait d'une façon légère, comme si les mots n'avaient pas d'importance ou comme s'il se moquait de lui-même.

— Au fait, je vous fais perdre votre temps et nous devrions en revenir à votre billet... Tenez... Voici une feuille de mon papier à lettres... Vos experts vous diront si c'est bien le même papier, mais je suis sûr d'avance du résultat...

Il pressa un timbre, attendit, tourné vers la porte.

— Mademoiselle Vague, voulez-vous avoir l'obligeance de m'apporter une des enveloppes qui servent pour les fournisseurs?

Il expliqua:

— Nous payons les fournisseurs par chèque en fin de mois... Il serait prétentieux, pour régler leurs factures, de nous servir des enveloppes gravées... Nous avons donc des enveloppes blanches ordinaires.

La jeune fille en apportait une.

— Vous pourrez comparer aussi. Si enveloppe et papier coïncident, vous aurez la quasi-certitude que la lettre est partie d'ici...

Cela ne semblait pas le tracasser outre mesure.

— Vous ne voyez aucune raison qui aurait pu pousser quelqu'un à écrire cette lettre?

Il regarda Maigret, avec ahurissement d'abord, ensuite d'un air un peu désillusionné.

— Des raisons?... Je ne m'attendais pas à ce mot-là, Monsieur Maigret... Je comprends que vous deviez poser la question... Mais pourquoi des raisons?... Sans doute chacun en a-t-il, sciemment ou à son insu...

— Vous êtes nombreux à vivre dans cet appartement?

— A y vivre jour et nuit, pas très nombreux... Ma femme et moi, bien entendu...

— Vous faites chambre à part?

Il eut un coup d'œil très vif, comme si Maigret avait marqué un point.

— Comment l'avez-vous deviné?

— Je ne sais pas... J'ai posé la question sans réfléchir...

— Il est exact que nous faisons chambre à part... Ma femme aime se coucher tard et traîner au lit le matin, tandis que je suis un lève-tôt... Vous pourrez d'ailleurs vous promener à loisir dans toutes les pièces... Que je vous dise tout de suite que je n'ai pas choisi l'endroit, ni aménagé quoi que ce soit...

« Quand mon beau-père (coup d'œil au Premier Président) a pris sa retraite et est allé vivre en Vendée, il y a eu une sorte de conseil de famille... Elles sont quatre sœurs, mariées toutes les quatre... On a en quelque sorte partagé l'héritage avant la lettre et ma femme a reçu cet appartement avec ce qu'il contient, y compris le portrait et les bustes...

Il ne riait pas, ne souriait pas. C'était plus subtil.

— Une de ses sœurs héritera de la gentilhommière de Vendée, dans la forêt de Vouvant, et les deux autres se partageront les titres... Les Gassin de Beaulieu possèdent une vieille fortune, de sorte qu'il y en a pour tout le monde...

« Je ne suis donc pas tout à fait chez moi, mais chez mon beau-père, et seuls les livres, les meubles de ma chambre et ce bureau m'appartiennent... »

— Votre père vit toujours, n'est-ce pas?

— Il habite presque en face, rue de Miromesnil, dans un appartement qu'il s'est aménagé pour ses vieux jours. Il est veuf depuis trente ans. Il était chirurgien...

— Un chirurgien célèbre...

— Bon... Vous savez ça aussi... Donc, vous n'ignorez pas que sa passion, à lui, ce n'était pas l'article 64, mais les femmes... Nous avions un appartement aussi vaste, mais beaucoup plus moderne que celui-ci, rue d'Aguesseau... Mon frère, qui est neurologue, l'occupe avec sa femme...

« Voilà pour la famille... Je vous ai déjà parlé de ma fille, Paulette, et de son frère Jacques... Sachez à tout hasard, si vous voulez vous faire bien voir d'elle, que ma fille se fait appeler Bambi et qu'elle s'obstine à appeler son frère

Gus... Je suppose que ça leur passera... Sinon, ma foi, ce n'est pas tellement important...

« Côté domestiques, comme dirait ma femme, vous avez vu le maître d'hôtel, Ferdinand... Son nom de famille est Fauchois... Il vient du Berry, comme ma famille... Célibataire... Sa chambre est au fond de la cour, au-dessus des garages... Lise, la femme de chambre, dort dans l'appartement et une certaine Mme Marchand vient tous les jours faire le ménage... J'oubliais Mme Vauquin, la cuisinière, dont le mari est pâtissier et qui tient à rentrer le soir chez elle...

« Vous ne prenez pas de notes? »

Maigret se contenta de sourire, puis il se leva et se dirigea vers un cendrier assez grand pour y vider sa pipe.

— Maintenant, mon côté à moi, si je puis dire... Vous avez vu Mlle Vague... C'est son vrai nom et elle ne le trouve pas ridicule... J'ai toujours appelé mes secrétaires par leur nom de famille... Elle ne parle jamais de sa vie personnelle et il faudrait que j'aille consulter les dossiers pour connaître son adresse...

« Tout ce que je sais, c'est qu'elle prend le métro pour rentrer chez elle et que je peux la retenir le soir sans que cela la contrarie... Elle doit avoir vingt-quatre ou vingt-cinq ans et elle est rarement de mauvaise humeur...

« Pour m'aider dans mon cabinet, j'ai un stagiaire plein d'ambition, un nommé René Tortu, dont le bureau se trouve au fond du couloir.

« Enfin, il reste celui que nous appelons le scribe, un garçon d'une vingtaine d'années fraîchement débarqué de Suisse et qui a, je pense, des ambitions d'auteur dramatique... Il sert à tout... Une sorte de garçon de bureau...

« Quand on me confie une affaire, c'est presque toujours une très grosse affaire, qui joue sur des millions, sinon des centaines de millions, et il m'arrive alors, pendant une ou plusieurs semaines, de travailler jour et nuit... Ensuite, on retombe dans la routine et j'ai le temps de... »

Il rougit, sourit.

— ... De m'occuper de notre article 64, Monsieur Maigret... Il faudra bien qu'un jour vous me disiez ce que vous en pensez... En attendant, je vais donner des instructions à chacun pour que vous circuliez à votre guise dans l'appartement et pour qu'on réponde en toute franchise à vos questions...

Maigret le regardait, troublé, se demandant s'il avait en face de lui un acteur astucieux ou, au contraire, un pauvre homme chétif qui se consolait par un humour subtil.

— Je viendrai sans doute demain dans le courant de la matinée, mais je ne vous dérangerai pas.

— Dans ce cas, c'est probablement moi qui vous dérangerai.

Ils se serrèrent la main et c'était presque une main d'enfant que le commissaire tenait dans la sienne.

— Merci pour votre accueil, Monsieur Parendon.

— Merci pour votre visite, Monsieur Maigret.

L'avocat le suivit en trottinant jusqu'à l'ascenseur.

CHAPITRE II

IL RETROUVA LE SOLEIL, dehors, l'odeur des premiers beaux jours, avec déjà un léger relent de poussière, les anges gardiens de l'Elysée qui se promenaient d'un air nonchalant et qui lui adressaient un signe discret de reconnaissance.

Une vieille femme, au coin du Rond-Point, vendait des lilas qui sentaient les jardins de banlieue et il résista au désir d'en acheter. De quoi aurait-il eu l'air avec une botte de fleurs encombrantes au quai des Orfèvres?

Il se sentait léger, d'une légèreté particulière. Il sortait d'un monde inconnu où il s'était trouvé moins dépaysé qu'il n'aurait pu le penser. Tout en marchant sur les trottoirs, dans le coude à coude avec les passants, il revoyait l'appartement solennel où l'on retrouvait l'ombre du grand magistrat qui avait dû y donner des réceptions compassées.

Dès l'abord, comme pour le mettre à l'aise,

Parendon lui avait adressé comme un clin d'œil qui signifiait :

— Ne vous y laissez pas prendre. Tout cela est un décor. Même le Droit Maritime, c'est un jeu, c'est de la frime...

Et, comme un jouet, il avait sorti son article 64 qui l'intéressait plus que tout au monde.

A moins que Parendon ne soit un malin? En tout cas, Maigret se sentait attiré vers ce gnome sautillant qui le dévorait des yeux comme s'il n'avait jamais vu un commissaire de la P.J.

Il profita du beau temps pour descendre les Champs-Elysées jusqu'à la Concorde où il prit enfin un autobus. Il n'en trouva pas à plate-forme et il dut éteindre sa pipe, s'asseoir à l'intérieur.

C'était l'heure de la signature, à la P.J., et il mit une vingtaine de minutes à se débarrasser du courrier. Sa femme fut surprise de le voir rentrer dès six heures, guilleret.

— Qu'est-ce qu'il y a à dîner?

— J'avais pensé préparer...

— Rien du tout. Nous dînons en ville...

N'importe où, mais dehors. Ce n'était pas une journée comme une autre et il tenait à ce qu'elle reste exceptionnelle jusqu'au bout.

Les jours s'allongeaient. Ils trouvèrent, au Quartier Latin, un restaurant dont la terrasse était entourée d'une cloison vitrée et qu'un brasero réchauffait agréablement. La spécialité consistait en fruits de mer et Maigret en prit d'à peu près toutes les sortes, y compris des oursins arrivés du Midi par avion le jour même.

Elle le regardait en souriant.

— On dirait que tu as eu une bonne journée?

— J'ai fait la connaissance d'un drôle de

type... Une drôle de maison aussi, de drôles de gens...

— Un crime?

— Je ne sais pas... Il n'est pas encore commis, mais cela peut arriver d'un jour à l'autre... Et, dans ce cas, je me trouverai dans une fichue situation...

Il lui parlait rarement des affaires en cours et, d'habitude, elle en apprenait plus par les journaux et la radio que par son mari. Cette fois, il ne résista pas au désir de lui montrer la lettre.

— Lis...

Ils en étaient au dessert. Ils avaient bu, avec les rougets grillés, un Pouilly fumé dont le parfum flottait encore autour d'eux. Mme Maigret le regardait, surprise, en lui rendant le billet.

— C'est un gamin? questionna-t-elle.

— Il y a en effet un gamin dans la maison. Je ne l'ai pas encore vu. Mais il existe de vieux gamins. Et aussi des gamines d'âge mûr...

— Tu y crois?

— Quelqu'un a voulu que je m'introduise dans la maison. Sinon, il ne se serait pas servi d'un papier à lettres qu'on ne trouve plus que dans deux papeteries de Paris.

— S'il projette de commettre un crime...

— Il ne dit pas qu'il commettra un crime... Il m'en annonce un, avec l'air de ne pas trop savoir qui sera le coupable...

Pour une fois, elle ne le prenait pas au sérieux.

— Tu verras que c'est une farce...

Il paya l'addition et il faisait si doux qu'ils rentrèrent à pied en faisant un détour pour passer par l'île Saint-Louis.

Il trouva des lilas, rue Saint-Antoine, de sorte

qu'il y en eut quand même dans l'appartement ce soir-là.

Le lendemain matin, le soleil était aussi clair, l'air aussi transparent, mais on n'y prêtait déjà plus la même attention. Il retrouva Lucas, Janvier et Lapointe pour le petit rapport et, tout de suite, dans le tas de courrier, il chercha la lettre.

Il n'était pas sûr de la trouver car l'annonce, dans *le Monde*, n'avait paru la veille que vers le milieu de l'après-midi et elle venait à peine d'être publiée par *le Figaro*.

— Elle y est ! lança-t-il en la brandissant.

Même enveloppe, mêmes caractères bâtonnets tracés avec soin, même papier à lettres dont on avait coupé l'en-tête.

On ne l'appelait plus Monsieur le Divisionnaire et le ton avait changé.

« *Vous avez eu tort, Monsieur Maigret, de venir avant de recevoir ma seconde lettre. A présent, ils ont tous la puce à l'oreille et cela risque de précipiter les événements. Le crime, désormais, peut être commis d'une heure à l'autre et ce sera en partie par votre faute.*

« *Je vous croyais plus patient, plus réfléchi. Vous figurez-vous donc qu'en un après-midi vous êtes capable de découvrir les secrets d'une maison?*

« *Vous êtes plus crédule et peut-être plus vaniteux que je ne le pensais. Je ne peux plus vous aider. Tout ce que je vous conseille, c'est de continuer votre enquête sans ajouter foi à ce que n'importe qui vous dira.*

« *Je vous salue et vous garde, malgré tout, mon admiration.* »

Les trois hommes, devant lui, se rendaient compte qu'il était gêné et ce ne fut qu'à regret qu'il leur tendit la feuille. Ils furent encore plus gênés que lui de la désinvolture avec laquelle le correspondant anonyme traitait leur patron.

— Vous ne pensez pas qu'il s'agit d'un gosse qui s'amuse?

— C'est ce que ma femme me disait hier soir.

— Votre impression?

— Non...

Non, il ne croyait pas à une mauvaise farce. Il n'y avait rien de dramatique, pourtant, dans l'atmosphère de l'avenue Marigny. Tout, dans l'appartement, était clair, ordonné. Le maître d'hôtel l'avait accueilli avec une calme dignité. La secrétaire au drôle de nom était vive et sympathique. Quant à maître Parendon, en dépit de son étrange physique, il s'était montré un hôte plutôt enjoué.

L'idée d'une farce n'était pas venue à Parendon non plus. Il n'avait pas protesté contre cette intrusion dans sa vie privée. Il avait beaucoup parlé, de sujets différents, surtout de l'article 64, mais, au fond, n'y avait-il pas eu tout le temps comme une angoisse latente?

Maigret n'en parla pas au rapport. Il se rendait compte que ses collègues hausseraient les épaules en le voyant foncer dans une histoire aussi abracadabrante.

— Rien de neuf chez vous, Maigret?

— Janvier est sur le point d'arrêter le meurtrier de la postière... Nous avons une quasi-certitude, mais il est préférable d'attendre et de savoir s'il avait un complice... Il vit avec une jeune femme enceinte...

Du courant. Du banal. Du quotidien. Une heure plus tard, il sortait du quotidien en pénétrant dans l'immeuble de l'avenue Marigny où le concierge en uniforme le salua à travers la porte vitrée de la loge.

Le maître d'hôtel, Ferdinand, lui demanda en lui prenant son chapeau :

— Vous désirez que je vous annonce à Monsieur?

— Non. Conduisez-moi dans le bureau de la secrétaire...

Mlle Vague! Voilà! Il retrouvait son nom. Elle occupait une petite pièce entourée de classeurs peints en vert et elle tapait sur une machine à écrire électrique du dernier modèle.

— C'est moi que vous désirez voir? demanda-t-elle sans se troubler.

Elle se levait, regardait autour d'elle, désignait une chaise, près de la fenêtre qui donnait sur la cour.

— Je n'ai malheureusement pas de fauteuil à votre disposition. Si vous préférez que nous allions à la bibliothèque ou au salon...

— Je préfère rester ici...

On entendait quelque part un aspirateur électrique. Une autre machine à écrire crépitait dans un des bureaux. Une voix d'homme, qui n'était pas celle de Parendon, répondait au téléphone : « Mais oui, mais oui... Je vous comprends parfaitement, cher ami, mais la loi est la loi, même si elle heurte parfois le simple bon sens... Je lui en ai parlé, bien entendu... Non, il ne peut pas vous recevoir aujourd'hui ni demain et d'ailleurs cela ne servirait à rien... »

— M. Tortu? questionna Maigret.

Elle fit signe que oui. C'était le stagiaire qu'on

entendait parler de la sorte dans la pièce voisine et Mlle Vague alla fermer la porte coupant le son comme on le fait de la radio en tournant un bouton. La fenêtre restait entrouverte et un chauffeur en combinaison bleue lavait au jet une Rolls Royce.

— Elle appartient à M. Parendon?

— Non, aux locataires du second, des Péruviens.

— M. Parendon a un chauffeur?

— Il y est obligé car sa vue ne lui permet pas de conduire.

— Quelle voiture?

— Cadillac... Madame s'en sert plus souvent que lui bien qu'elle dispose d'une petite auto anglaise... Le bruit ne vous gêne pas?... Vous ne préférez pas que je ferme la fenêtre?

Non. Le jet d'eau faisait partie de l'ambiance, du printemps, d'une maison comme celle dans laquelle il se trouvait.

— Vous savez pourquoi je suis ici?

— Je sais seulement que nous sommes tous à votre disposition et que nous devons répondre à vos questions, même si elles nous paraissent indiscrètes...

Il tira une fois de plus la première lettre de sa poche. Quand il rentrerait au Quai, il la ferait photocopier, sinon elle finirait par n'être plus qu'un chiffon de papier.

Pendant qu'elle lisait, il examinait son visage que les lunettes à cercles d'écaille n'enlaidissaient pas. Elle n'était pas belle dans le sens habituel du mot, mais plaisante. Sa bouche surtout, charnue, souriante, aux coins retroussés, retenait le regard.

— Oui?... dit-elle en rendant la feuille.

— Qu'en pensez-vous?
— Qu'en pense M. Parendon?
— La même chose que vous.
— Que voulez-vous dire?
— Qu'il n'a pas été plus surpris que vous ne venez de l'être.
Elle s'efforça de sourire, mais on sentait que le coup avait porté.
— J'aurais dû réagir?
— Quand on annonce qu'un meurtre va être commis dans une maison...
— Cela peut se produire dans n'importe quelle maison, non? Avant le moment où il devient un criminel, je suppose qu'un homme se comporte comme un autre, qu'il est comme un autre, sinon...
— Sinon nous arrêterions d'avance les futurs assassins, c'est exact.
Le plus curieux, c'est qu'elle y ait pensé, car peu de gens, au cours de sa longue carrière, avaient tenu devant Maigret ce raisonnement si simple.
— J'ai fait insérer l'annonce. Ce matin, j'ai reçu une seconde lettre.
Il la tendit et elle la lut avec la même attention mais, cette fois, avec aussi une certaine anxiété.
— Je commence à comprendre, murmura-t-elle.
— Quoi?
— Que vous soyez inquiet et que vous vous chargiez personnellement de l'enquête...
— Vous permettez que je fume?
— Je vous en prie; ici, j'ai le droit de fumer aussi, ce qui n'est pas le cas dans la plupart des bureaux...

Elle alluma une cigarette avec des gestes simples, nullement affectés comme ceux de tant de femmes. Elle fumait pour se détendre. Elle se renversait un peu sur sa chaise articulée de dactylo. Le bureau ne ressemblait pas à un bureau commercial. Si la table de machine à écrire était en métal, elle était flanquée d'une fort belle table Louis XIII.

— Le jeune Parendon est-il d'un caractère farceur?

— Gus? C'est tout le contraire d'un farceur. Il est intelligent, mais renfermé. Au lycée, il est toujours en tête de sa classe, bien qu'il n'étudie jamais.

— Quelle est sa passion?

— La musique et l'électronique... Il a installé dans sa chambre un système perfectionné de haute fidélité et il est abonné à je ne sais combien de revues scientifiques... Tenez, en voici une arrivée au courrier de ce matin... C'est moi qui vais les poser dans sa chambre...

L'Electronique de Demain.

— Il sort beaucoup?

— Je ne suis pas ici le soir. Je ne le pense pas.

— Il a des amis?

— Parfois un camarade qui vient écouter des disques ou faire des expériences avec lui...

— Quels sont ses rapports avec son père?

Elle parut surprise par la question. Elle réfléchit, sourit pour s'excuser.

— Je ne sais que vous répondre. Voilà cinq ans que je travaille pour M. Parendon. C'est seulement ma seconde place à Paris.

— Quelle était la première?

— Dans une maison de commerce de la

rue Réaumur. J'étais malheureuse, car le travail ne m'intéressait pas.

— Par qui avez-vous été présentée?

— C'est René... Je veux dire M. Tortu... qui m'a parlé de cet emploi...

— Vous le connaissiez bien?

— Nous mangions, le soir, dans le même restaurant de la rue Caulaincourt.

— Vous habitez Montmartre?

— Place Constantin-Pecqueur...

— Tortu était votre petit ami?

— D'abord, il mesure près d'un mètre quatre-vingt-dix... Ensuite, sauf une fois, il n'y a rien eu entre nous...

— Sauf une fois?

— J'ai pour instructions d'être entièrement sincère, n'est-ce pas?... Un soir, peu avant que je n'entre ici, nous sommes allés ensemble au cinéma, place Clichy, en sortant de « Chez Maurice »... « Chez Maurice », c'est notre restaurant de la rue Caulaincourt...

— Vous y dînez toujours?

— Presque chaque soir... Je fais partie du mobilier...

— Et lui?

— Plus rarement depuis qu'il est fiancé.

— Donc, après le cinéma...

— Il m'a demandé la permission de venir prendre un dernier verre chez moi... Nous en avions déjà bu quelques-uns et j'étais un peu ivre... J'ai refusé, car j'ai horreur qu'un homme pénètre dans mon logement... C'est physique... J'ai préféré le suivre chez lui, rue des Saules...

— Pourquoi n'y êtes-vous pas retournée?

— Parce que cela n'a pas marché, nous l'avons

senti tous les deux... Question de peau, en somme... Nous sommes restés bons copains...

— Il doit se marier bientôt?

— Je ne le crois pas pressé...

— Sa fiancée est secrétaire, elle aussi?

— C'est l'assistante du docteur Parendon, le frère du patron...

Maigret fumait sa pipe à petites bouffées en essayant de s'imprégner de tout ce monde qu'il ne connaissait pas la veille et qui venait de surgir dans sa vie.

— Puisque nous sommes sur ce sujet-là, je vais vous poser une autre question indiscrète. Couchez-vous avec M. Parendon?

C'était chez elle une façon d'être. Elle écoutait attentivement la question, le visage grave, prenait un temps puis, au moment de répondre, commençait à sourire, d'un sourire à la fois malicieux et spontané, tandis que les yeux pétillaient derrière les lunettes.

— Dans un sens, c'est oui. Il nous arrive de faire l'amour, mais c'est toujours à la sauvette, de sorte que le mot coucher ne convient pas puisque nous n'avons jamais été couchés l'un près de l'autre...

— Tortu le sait?

— Nous n'en avons jamais parlé ensemble, mais il doit s'en douter.

— Pourquoi?

— Quand vous connaîtrez mieux l'appartement, vous comprendrez. Voyons, combien de personnes vont et viennent toute la journée?... M. et Mme Parendon, plus leurs deux enfants, cela fait quatre... Trois au bureau, cela fait sept... Ferdinand, la cuisinière, la femme de chambre et la femme de ménage nous amènent à onze... Je ne parle pas du masseur de Madame qui vient quatre matins par semaine, ni de ses sœurs, ni des amies de Mademoiselle...

« Les pièces ont beau être nombreuses, on finit par se rencontrer les uns les autres... Surtout ici... »

— Pourquoi ici?

— Parce que c'est dans ce bureau que chacun se fournit en papier, en timbres, en trombones... Si Gus a besoin d'un bout de ficelle, c'est dans mes tiroirs qu'il vient fouiller... Bambi a toujours besoin de timbres ou de scotch-tape... Quant à Madame...

Il la regardait, curieux de la suite.

— Elle est partout... Elle sort beaucoup, certes, mais on ne sait jamais si elle est dehors ou à la maison... Vous avez remarqué que tous les couloirs et la plupart des pièces sont garnis de moquette... On n'entend pas venir... La porte s'ouvre et on voit surgir quelqu'un qu'on n'attendait pas... Il lui arrive, par exemple, de pousser ma porte et de murmurer, comme si elle s'était trompée : « Oh! pardon... »

— Elle est curieuse?

— Ou étourdie... A moins que ce ne soit une manie...

— Elle ne vous a jamais surprise avec son mari?

— Je n'en suis pas certaine... Une fois, un peu avant Noël, alors qu'on la croyait chez son coiffeur, elle est entrée à un moment assez délicat... Nous avons eu le temps de reprendre contenance, tout au moins je le suppose, mais rien n'est sûr... Elle a paru très naturelle et elle s'est mise à parler à son mari du cadeau qu'elle venait d'acheter pour Gus...

— Elle n'a pas changé d'attitude avec vous?

— Non. Elle est gentille avec tout le monde, d'une gentillesse bien à elle, un peu comme si elle planait au-dessus de nous pour nous protéger... Dans mon for intérieur, il m'arrive de la surnommer l'ange...

— Vous ne l'aimez pas?

— Je n'en ferais pas mon amie, si c'est ce que vous voulez dire.

Une sonnerie retentit et la jeune fille se leva d'une détente.

— Vous m'excusez? Le patron m'appelle...

Elle était déjà à la porte, ayant saisi au passage un bloc à sténo et un crayon.

Maigret restait seul à regarder, dans la cour que n'atteignait pas encore le soleil, le chauffeur astiquant maintenant la Rolls avec une peau de chamois tout en sifflant une rengaine.

-:-

Mlle Vague ne revenait pas et Maigret restait assis à sa place, près de la fenêtre, sans s'impatienter, lui qui pourtant avait horreur d'attendre. Il aurait pu aller faire un tour au fond du couloir, dans le bureau occupé par Tortu et par Julien Baud, mais il était comme engourdi, les yeux mi-clos, à regarder tantôt un objet, tantôt un autre.

La table qui servait de bureau avait de lourds pieds de chêne aux sculptures sobres et elle avait dû autrefois se trouver dans une autre pièce. Le dessus en était poli par le temps. Un buvard beige aux quatre coins de cuir servait de sous-main. Le plumier était très ordinaire, en matière plastique, et contenait des stylos, des crayons, une gomme, un grattoir. Un dictionnaire se trouvait près de la table de machine.

A certain moment, il fronça les sourcils, se leva comme à regret et vint regarder la table de plus près. Il ne s'était pas trompé. On y voyait une mince entaille encore fraîche comme en aurait fait le grattoir pointu en coupant une feuille de papier.

Il y avait, près du plumier, une règle plate en métal.

— Vous l'avez remarqué aussi?

Il sursauta. C'était Mlle Vague qui rentrait, son carnet de sténo toujours à la main.

— De quoi parlez-vous?

— De la coupure... N'est-ce pas malheureux d'abîmer une si belle table?...

— Vous ignorez par qui cela a été fait?

— Par n'importe qui ayant accès à cette pièce, donc par n'importe qui. Je vous ai dit que chacun y entrait comme chez soi...

Ainsi, il n'aurait pas à chercher. Dès la veille, il s'était promis d'examiner les tables de la maison car il avait remarqué que le papier avait été coupé d'une façon nette, comme au massicot.

— Si cela ne vous dérange pas, M. Parendon aimerait vous voir un moment...

Maigret remarqua qu'il n'y avait rien d'écrit sur le carnet de sténo.

— Vous lui avez raconté notre conversation?

Elle répondit sans aucune gêne :

— Oui.

— Y compris ce qui concerne vos relations avec lui?

— Bien entendu.

— C'est pour cela qu'il vous a appelée?

— Non. Il avait vraiment un renseignement à

me demander au sujet du dossier sur lequel il travaille...

— Je reviendrai vous voir dans un instant. Je suppose que vous n'avez plus besoin de m'introduire?

Elle sourit.

— Il vous a dit d'aller et venir comme chez vous, non?

Il frappa donc à la haute porte de chêne dont il poussa le battant et il trouva le petit homme devant son vaste bureau qui, ce matin, était couvert de documents à l'aspect officiel.

— Entrez, Monsieur Maigret... Je m'excuse de vous avoir interrompu... J'ignorais, d'ailleurs, que vous étiez chez ma secrétaire... Vous commencez donc à en savoir un peu plus sur notre maisonnée...

« Serait-il indiscret de vous demander de jeter un coup d'œil sur la seconde lettre? »

Maigret la lui tendit de bonne grâce et il eut l'impression que le visage, déjà incolore, devenait cireux. Les yeux bleus ne pétillaient plus derrière les verres épais des lunettes mais se fixaient sur Maigret dans une interrogation angoissée.

— *Le crime, désormais, peut être commis d'une heure à l'autre...* Vous y croyez?

Maigret, qui le regardait aussi fixement, se contenta de répliquer :

— Et vous?

— Je ne sais pas. Je ne sais plus. Hier, je prenais la chose plutôt légèrement. Sans croire à une mauvaise plaisanterie, j'étais tenté de penser à une petite vengeance à la fois perfide et naïve...

— Contre qui?

— Contre moi, contre ma femme, contre

n'importe qui dans la maison... Un moyen adroit d'introduire la police ici et de nous faire harceler de questions.

— Vous en avez parlé à votre femme?

— J'y ai bien été obligé puisqu'elle vous a rencontré dans mon bureau.

— Vous auriez pu lui dire que j'étais venu vous voir pour une question professionnelle...

Le visage de Parendon exprima un doux étonnement.

— Mme Maigret se contenterait d'une explication de ce genre?

— Ma femme ne me pose jamais de questions.

— La mienne en pose. Et elle les répète, comme dans vos interrogatoires, si j'en crois les journaux, jusqu'à ce qu'elle ait l'impression d'avoir touché le fond. Ensuite, dans la mesure du possible, elle les recoupe par de petites phrases, anodines en apparence, qu'elle lance à Ferdinand, à la cuisinière, à ma secrétaire, aux enfants...

Il ne se plaignait pas. Il n'y avait aucune aigreur dans sa voix. Plutôt une sorte d'admiration, en somme. Il semblait parler d'un phénomène dont on vante les mérites.

— Quelle a été sa réaction?

— Qu'il s'agit d'une vengeance de domestique...

— Ils ont lieu de se plaindre?

— Ils ont toujours une raison de se plaindre. Mme Vauquin, la cuisinière, par exemple, lorsque nous avons un dîner, travaille assez tard tandis que la femme de ménage, quoi qu'il arrive, s'en va à 6 heures. Par contre, la femme de ménage gagne deux cents francs de moins. Vous comprenez?

— Et Ferdinand?

— Savez-vous que Ferdinand, si correct et compassé, est un ancien légionnaire qui a participé à des opérations de commando? Personne ne va voir, le soir, ce qu'il fait au-dessus des garages, qui il reçoit ni où il va...

— C'est dans ce sens que vous penchez aussi?

L'avocat hésita une seconde, décida d'être sincère.

— Non.

— Pourquoi?

— Aucun d'eux n'aurait écrit les phrases que l'on trouve dans ces lettres, employé certains mots...

— Existe-t-il des armes dans la maison?

— Ma femme possède deux fusils de chasse, car elle est souvent invitée à chasser. Moi, je ne tire pas.

— A cause de votre vue?

— Parce que je déteste tuer des animaux.

— Vous avez un revolver?

— Un vieux browning, dans un tiroir de ma table de nuit. Une habitude de beaucoup de gens, je pense. On se dit que si des cambrioleurs...

Il rit doucement.

— Je pourrais tout au plus leur faire peur. Tenez...

Il ouvrait un tiroir de son bureau et en retirait une boîte de cartouches.

— L'automatique est dans ma chambre, à l'autre bout de l'appartement, et les cartouches sont ici, une habitude que j'ai prise quand les enfants étaient plus jeunes et que je craignais un accident.

« Cela me fait penser qu'ils ont maintenant plus que l'âge de raison et que je pourrais charger mon browning... »

Il continuait à fouiller le tiroir et en retirait cette fois un casse-tête américain.

— Vous savez d'où provient ce joujou? Il y a trois ans, j'ai été surpris d'être convoqué chez le commissaire de police. Lorsque je m'y suis rendu, on m'a demandé si j'avais bien un fils prénommé Jacques. Celui-ci avait douze ans à l'époque.

« Une bagarre avait éclaté entre gosses à la sortie du lycée et le sergent de ville avait trouvé Gus en possession de ce casse-tête...

« Je l'ai questionné en rentrant et j'ai appris qu'il l'avait obtenu d'un camarade en échange de six paquets de chewing-gum! »

Il souriait, amusé par ce souvenir.

— C'est un violent?

— Il a passé par une période difficile, entre douze et treize ans. Il lui arrivait de piquer des colères violentes, mais brèves, surtout quand sa sœur se permettait une observation. Depuis, c'est passé. Je le trouverais plutôt trop calme, trop solitaire pour mon goût...

— Il n'a pas d'amis?

— Je ne lui en connais qu'un, qui vient assez souvent écouter de la musique avec lui, un nommé Génuvier, dont le père est pâtissier faubourg Saint-Honoré... Vous devez connaître le nom... Les maîtresses de maison y viennent de très loin...

— Si vous le permettez, je vais rejoindre votre secrétaire...

— Comment la trouvez-vous?

— Intelligente, à la fois spontanée et réfléchie...

Cela eut l'air de faire plaisir à Parendon qui ronronna :

— Elle m'est fort précieuse...

Tandis qu'il se replongeait dans ses dossiers, Maigret rejoignait Mlle Vague dans son bureau. Elle ne faisait pas semblant de travailler et elle l'attendait ostensiblement.

— Une question qui va vous paraître ridicule, mademoiselle... Est-ce que le fils Parendon...

— Tout le monde l'appelle Gus...

— Bon! Est-ce que Gus vous a déjà fait la cour?

— Il a quinze ans.

— Je sais. C'est justement l'âge de certaines curiosités, ou de certains emballements sentimentaux.

Elle réfléchit. Comme Parendon, elle prenait le temps de réfléchir avant de répondre, comme s'il lui avait enseigné l'exactitude.

— Non, dit-elle enfin. Quand je l'ai connu, c'était un gamin qui venait me demander des timbres pour sa collection et qui me chipait une quantité incroyable de crayons et de scotch-tape. Parfois aussi, il réclamait mon aide pour ses devoirs. Il s'asseyait où vous êtes et me regardait travailler d'un air grave...

— Et maintenant?

— Il a une demi-tête de plus que moi et il se rase depuis un an. S'il lui arrive de me chiper quelque chose, ce sont des cigarettes, quand il a oublié d'en acheter.

Du coup, elle en alluma une, tandis que Maigret bourrait lentement une pipe.

— Ses visites ne sont pas plus fréquentes?

— Au contraire. Je crois vous avoir dit qu'il a sa vie à lui, en dehors de la famille, sauf les repas. Encore refuse-t-il de paraître à table lorsqu'il y a des invités et préfère-t-il manger à la cuisine.

— Il s'entend bien avec le personnel?

— Il ne fait pas de distinction entre les gens. Même s'il est en retard, il n'accepte pas que le chauffeur le conduise au lycée, par crainte d'être vu en limousine par ses condisciples...

— En somme, il a honte d'habiter un immeuble comme celui-ci?

— C'est un peu cela, oui.

— Ses relations avec sa sœur se sont améliorées?

— N'oubliez pas que je ne suis pas présente aux repas et que je les vois rarement ensemble. A mon avis, il la regarde comme un être curieux, dont il essaie de comprendre le mécanisme, un peu comme il regarderait un insecte...

— Et sa mère?

— Elle est un peu bruyante pour lui... Je veux dire qu'elle est toujours en mouvement, toujours à parler d'un tas de gens...

— Je comprends... La jeune fille?... Paulette, si je me souviens bien...

— Ici, on dit Bambi... N'oubliez pas que chaque enfant a son surnom... Gus et Bambi... Je ne sais pas comment ils m'appellent entre eux; cela doit être assez drôle...

— Comment Bambi s'entend-elle avec sa mère?

— Mal.

— Elles se disputent?

— Même pas. C'est à peine si elles se parlent.

— De quel côté vient l'animosité?

— De Bambi... Vous la verrez... Toute jeune qu'elle soit, elle juge les gens autour d'elle et on sent à son regard qu'elle les juge cruellement...

— Injustement?

— Pas toujours.

— Elle s'entend bien avec vous?

— Elle m'accepte.

— Elle vient parfois vous voir dans votre bureau?

— Quand elle a besoin que je lui dactylographie un cours ou que je photocopie un document.

— Elle ne vous parle jamais de ses amies, de ses amis?

— Jamais.

— Avez-vous l'impression qu'elle est au courant de vos relations avec son père?

— Je me le suis parfois demandé. Je ne sais pas. N'importe qui peut nous avoir surpris à notre insu...

— Elle aime son père?

— Elle l'a pris sous sa protection... Elle doit le considérer comme la victime de sa mère et c'est pourquoi elle en veut à celle-ci d'occuper une trop grande place.

— En somme, dans la famille, M. Parendon ne joue pas un rôle important?

— Pas un rôle en vue...

— Il n'a jamais essayé?

— Peut-être autrefois, quand je n'étais pas encore ici. Il a dû se rendre compte que la bataille était perdue d'avance et...

— ... et il s'est enfermé dans sa coquille.

Elle rit.

— Pas tant que vous le croyez. Lui aussi est au courant de ce qui se passe... Il ne questionne pas comme Mme Parendon... Il se contente d'écouter, d'observer, de déduire... C'est un homme extrêmement intelligent...

— J'ai eu cette impression...

Il la vit toute ravie. Du coup, elle le regardait avec amitié, comme s'il venait de faire sa conquête. Il avait compris que s'il lui arrivait de coucher avec Parendon, ce n'était pas parce que celui-ci était son patron mais parce qu'elle avait pour lui une véritable passion.

— Je parie que vous n'avez pas d'amant...

— C'est vrai. Je n'en veux pas...

— Vous ne souffrez pas de vivre seule?

— Au contraire. C'est d'avoir quelqu'un autour de moi qui me serait insupportable... A plus forte raison d'avoir quelqu'un dans mon lit...

— Jamais de passades?

Toujours cette légère hésitation entre la vérité et le mensonge.

— Parfois... Assez rarement...

Et, avec une fierté comique, elle ajouta comme si elle émettait une profession de foi :

— Mais jamais chez moi...

— Quelles sont les relations entre Gus et son père? J'avais posé la question tout à l'heure mais la conversation a dévié...

— Gus l'admire. Mais il l'admire de loin, sans le lui montrer, avec une sorte d'humilité... Voyez-vous, pour les comprendre, il faudrait que vous connaissiez toute la famille, et votre enquête n'en finirait pas...

« L'appartement, vous le savez, était celui de

M. Gassin de Beaulieu et il reste plein de souvenirs... Depuis trois ans, l'ancien président est infirme et ne quitte pas sa gentilhommière de Vendée... Mais, auparavant, il venait parfois passer une semaine ou deux ici, où il a toujours sa chambre, et, dès son entrée, il était à nouveau le maître de maison... »

— Vous l'avez donc connu?

— Très bien. Il me dictait tout son courrier.

— Quel homme est-ce? D'après son portrait...

— Celui qui est dans le bureau de M. Parendon? Si vous avez vu le portrait, vous l'avez vu lui... Ce qu'on appelle un magistrat intègre et cultivé... Vous comprenez ce que je veux dire?... Un personnage qui se promenait dans la vie plus grand que nature, comme s'il venait de descendre de son socle...

« Pendant ces séjours, il ne fallait aucun bruit dans l'appartement. On marchait sur la pointe des pieds. On chuchotait. Les enfants, plus jeunes que maintenant, vivaient dans la terreur...

« Le père de M. Parendon, au contraire, le chirurgien... »

— Il vient encore?

— Rarement. C'est ce que j'allais vous dire. Vous connaissez sa légende, comme tout le monde. Fils de paysans du Berry, il s'est toujours comporté en paysan, employant volontiers, même dans ses cours, un langage rude et imagé.

« C'était, il y a quelques années encore, une force de la nature. Comme il habite à deux pas, rue de Miromesnil, il venait souvent faire une visite en passant et les enfants l'adoraient...

« Cela n'a pas plu à tout le monde... »

— A Mme Parendon en particulier...

— Il est certain qu'il n'y avait aucune sympathie entre eux... Je ne sais rien de précis... Les domestiques ont fait allusion à une scène violente qui aurait eu lieu... Toujours est-il qu'il ne vient plus et que c'est son fils qui va le voir tous les deux ou trois jours... »

— En somme, les Gassin ont gagné contre les Parendon.

— Plus que vous ne le croyez...

L'air était bleu de fumée, celle de la pipe de Maigret et celle des cigarettes de Mlle Vague. La jeune fille se dirigea vers la fenêtre qu'elle ouvrit davantage pour renouveler l'air.

— Car, poursuivait-elle d'un ton amusé, il y a, pour les enfants, les tantes, les oncles, les cousins et les cousines... M. Gassin de Beaulieu avait quatre filles et les trois autres habitent Paris aussi... Elles ont des enfants qui s'échelonnent de dix à vingt-deux ans... Au fait, une des jeunes filles s'est mariée au printemps dernier à un officier qui a son bureau au ministère de la Marine...

« Voilà pour le clan Gassin de Beaulieu... Si vous le désirez, je vous établirai une liste, avec le nom des maris... »

— Je ne crois pas que cela soit nécessaire au point où nous en sommes. Elles viennent souvent ici?

— Tantôt l'une, tantôt l'autre... Quoique bien mariées, comme on dit, elles continuent à considérer cette maison comme la maison familiale...

— Tandis que...

— Vous avez compris avant que je ne vous en parle. Le frère de M. Parendon, Germain, est médecin spécialisé en neurologie infantile. Il est marié à une ancienne comédienne qui est restée jeune et pétillante...

— Il ressemble à...

Maigret était un peu gêné de sa question et elle comprit.

— Non. Il est aussi large et puissant que son père, en beaucoup plus grand. C'est un très bel homme, qu'on est surpris de trouver si doux. Le ménage n'a pas d'enfants. Ce sont des gens qui sortent peu et qui ne reçoivent que quelques intimes...

— Mais ils ne viennent pas ici... soupira Maigret qui commençait à se faire un tableau assez précis de la famille.

— M. Parendon va les voir les soirs où sa femme a un bridge, car il a les cartes en horreur. Parfois, M. Germain vient lui tenir compagnie, dans le bureau. Je le sais le matin en arrivant car la pièce sent alors le cigare...

On aurait dit que Maigret changeait soudain de ton. Il ne devenait pas menaçant, ni sévère, mais il n'y avait plus trace de badinage ou d'amusement dans sa voix et dans son regard.

— Ecoutez-moi, mademoiselle Vague. Vous m'avez répondu, j'en suis persuadé, avec une totale franchise et vous êtes même allée parfois au-devant de mes questions. Il m'en reste une autre à vous poser et je vous demande d'être aussi sincère. Croyez-vous que ces lettres soient une plaisanterie?

Elle répondit sans hésitation :

— Non.

— Aviez-vous déjà, avant qu'elles aient été écrites, pressenti qu'un drame se préparait dans la maison?

Cette fois, elle prit son temps, alluma une nouvelle cigarette, laissa tomber :

— Peut-être...

— Quand?

— Je ne sais pas... Je cherche... Peut-être après les vacances... Vers cette époque-là en tout cas...

— Qu'avez-vous remarqué?

— Rien de particulier... C'était dans l'air... Une sorte d'oppression, serais-je tentée de dire...

— Quelle est, selon vous, la personne menacée?

Elle rougit brusquement et se tut.

— Pourquoi ne répondez-vous pas?

— Parce que vous savez très bien ce que je vais dire : M. Parendon.

Il se leva en soupirant.

— Merci. Je crois que je vous ai assez torturée pour ce matin. Il est probable que je reviendrai bientôt vous voir.

— Vous voulez interroger les autres?

— Pas avant le déjeuner. Il est bientôt midi. Sans doute à tout à l'heure...

Elle le regarda partir, grand et lourd, l'air maladroit, puis, soudain, quand la porte d'entrée se fut refermée, elle se mit à pleurer.

CHAPITRE III

Il y avait, rue de Miromesnil, vestige des anciens jours, un petit restaurant sombre où le menu était encore écrit sur une ardoise et où, par une porte vitrée, on apercevait la patronne, énorme sur des jambes comme des colonnes, officiant à son fourneau.

Les habitués avaient leur serviette dans des casiers et fronçaient les sourcils quand leur place était occupée. C'était rare, car la fille de salle, Emma, n'aimait pas les nouveaux visages. Quelques vieux inspecteurs de la rue des Saussaies fréquentaient le coin et aussi des employés comme on n'en voit plus guère et qu'on imagine en manches de lustrine devant d'antiques bureaux noirs.

Le patron, à son comptoir, reconnut le commissaire et vint l'accueillir.

— Cela fait un moment qu'on ne vous voit plus dans le quartier... En tout cas, vous pouvez vous vanter d'avoir eu du nez... Il y a de l'andouillette...

Maigret aimait, de temps en temps, manger ainsi seul, en laissant son regard errer sur un décor vieillot, sur des personnages qui travaillent le plus souvent dans des arrière-cours où l'on trouve des bureaux inattendus, contentieux, prêts sur gages, orthopédistes, marchands de timbres...

Comme il le disait volontiers, il ruminait. Il ne pensait pas. Son esprit vagabondait d'une idée à l'autre, d'une image à l'autre, mêlant parfois des affaires anciennes à l'affaire en cours.

Parendon le fascinait. Dans son esprit, tandis qu'il dégustait l'andouillette juteuse et croustillante, accompagnée de pommes frites qui ne sentaient pas le graillon, le gnome prenait des aspects tantôt émouvants et tantôt effrayants.

— L'article 64, Monsieur Maigret !... N'oubliez pas l'article 64 !...

Etait-ce vraiment, chez lui, une hantise? Pourquoi cet avocat d'affaires, qu'on venait consulter de partout, à grands frais, sur des questions maritimes, s'hypnotisait-il ainsi sur le seul article du Code, en définitive, à traiter de la responsabilité humaine?

Oh ! Prudemment. Sans donner la moindre définition de la démence. Et en la limitant au moment de l'action, c'est-à-dire au moment du crime.

Il connaissait quelques vieux routiers de la psychiatrie, de ceux que les juges choisissent volontiers comme experts parce qu'ils ne cherchent pas de subtilités.

Ceux-là, pour limiter la responsabilité d'un criminel, ne connaissent que les lésions ou les malformations du cerveau, ou encore, puisque le Code Pénal en parle à l'article suivant, l'épilepsie.

Mais comment établir qu'un homme, au moment d'en tuer un autre, à l'instant précis du geste meurtrier, était en pleine possession de ses facultés? Comment, à plus forte raison, affirmer qu'il était capable de résister à son impulsion.

L'article 64, oui... Maigret en avait discuté souvent, avec son vieil ami Pardon en particulier. On en discutait aussi presque à chaque congrès de la Société Internationale de Criminologie et il existe de gros ouvrages sur ce sujet, les ouvrages, justement, qui remplissaient pour une grande partie la bibliothèque de Parendon.

— Alors? Elle est bonne?

Le patron jovial lui remplissait son verre d'un beaujolais peut-être un peu jeune mais fruité à point.

— Votre femme n'a pas perdu la main...

— Elle sera contente si vous allez le lui dire avant de partir...

L'appartement était à l'image d'un homme comme Gassin de Beaulieu, habitué à l'hermine, Commandeur de la Légion d'Honneur, qui n'avait jamais douté du Code, du Droit ni de lui-même.

Autour de Maigret étaient attablés des maigres, des gros, des hommes de trente ans et des hommes de cinquante. Presque tous mangeaient seuls, le regard perdu dans le vide ou fixé sur une page de journal, et ayant en commun cette patine particulière que donne une vie humble et monotone.

On a tendance à imaginer les êtres comme on voudrait qu'ils soient. Or, l'un avait le nez de travers ou le menton fuyant, l'autre une épaule trop basse, tandis que son voisin était obèse. La moitié des crânes étaient dégarnis et une bonne moitié des dîneurs portaient des lunettes.

Pourquoi Maigret pensait-il à cela? Pour rien. Parce que Parendon, dans son vaste bureau, avait l'air d'un gnome, certains auraient dit plus cruellement d'un singe.

Mme Parendon, elle... Il l'avait à peine vue. Elle n'avait fait qu'une apparition rapide, comme pour lui fournir un échantillon de sa brillante personnalité. Comment ce couple-là s'était-il formé? Au hasard de quelle rencontre fortuite ou de quelles tractations familiales?

Entre eux deux, il y avait Gus, qui faisait de la musique haute fidélité et de l'électronique dans sa chambre avec le fils du pâtissier... Il était plus grand, plus fort que son père, heureusement, et, à en croire Mlle Vague, c'était un garçon équilibré...

Il y avait aussi sa sœur, Bambi, qui étudiait l'archéologie. Comptait-elle vraiment fouiller un jour les déserts du Proche-Orient, ou bien ses études ne constituaient-elles qu'un alibi?

Mlle Vague défendait farouchement son patron avec qui, pourtant, elle n'avait l'occasion de faire l'amour qu'à la sauvette, sur un coin de bureau.

Pourquoi ne se donnaient-ils pas rendez-vous ailleurs, sacrebleu? Avaient-ils tellement peur l'un et l'autre de Mme Parendon? Ou bien était-ce par un sentiment de culpabilité qu'ils tenaient à garder à leurs relations ce caractère furtif et impromptu?

Il y avait encore l'ancien légionnaire devenu maître d'hôtel, la cuisinière et la femme de ménage qui se détestaient pour des questions d'heure de travail et de gages. Puis une femme de chambre prénommée Lise que Maigret ne connaissait pas et dont on lui avait à peine parlé.

Il y avait René Tortu, qui avait couché une seule fois avec la secrétaire et qui prolongeait à présent ses fiançailles, avec une autre, puis enfin le Suisse, Julien Baud, qui faisait, comme gratte-papier, son apprentissage de Paris avant de se lancer dans le théâtre.

De quel côté étaient-ils, les uns et les autres? Côté Gassin? Côté Parendon?

Quelqu'un, dans tout ça, voulait tuer quelqu'un.

Et, en bas, comme par ironie, un ancien inspecteur de la Sûreté Nationale servait de concierge?

En face, les jardins du Président de la République et, à travers les arbres qui commençaient précocement à verdir, le fameux perron où l'on photographiait celui-ci serrant la main à ses hôtes de marque.

Ne sentait-on pas une certaine incohérence? Le bistrot, autour de Maigret, semblait plus réel, plus solide. C'était de la vie de tous les jours. Des petites gens, certes, mais on compte davantage de petites gens que d'autres, même si on les remarque moins, s'ils s'habillent de sombre, parlent moins haut, rasent les murs ou s'entassent dans le métro...

On lui servit d'office un baba au rhum abondamment recouvert de crème Chantilly, une autre spécialité de la patronne à qui Maigret ne manqua pas d'aller serrer la main dans la cuisine. Il dut même l'embrasser sur les deux joues. C'était la tradition.

— Vous ne resterez plus aussi longtemps sans venir nous voir, j'espère?

Si le meurtrier traînait, Maigret risquait de revenir souvent...

Car il en revenait au meurtrier. Au meurtrier qui n'en était pas encore un. Au meurtrier en puissance.

N'y a-t-il pas, dans Paris, des milliers et des milliers de meurtriers en puissance?

Pourquoi celui-ci éprouvait-il le besoin d'alerter Maigret à l'avance? Par une sorte de romantisme? Pour se rendre intéressant? Pour avoir un jour son témoignage? Ou bien encore pour qu'on le retienne d'agir?

Le retenir comment?

Maigret, dans le soleil, monta jusqu'à Saint-Philippe-du-Roule, tourna à gauche, s'arrêtant parfois devant un étalage : des choses très chères, souvent inutiles, qui pourtant se vendaient.

Il passa devant la papeterie Roman où il s'amusa à lire, sur des cartes de visite ou des invitations gravées, les noms à tiroirs du Gotha. C'était d'ici qu'était parti le papier à lettres qui avait tout déclenché. Sans ces billets anonymes, Maigret continuerait à ignorer les Parendon, les Gassin de Beaulieu, les tantes, les oncles, les cousins et les cousines.

D'autres, comme lui, marchaient le long des trottoirs pour le plaisir de cligner des yeux dans le soleil et de respirer un air où passaient des bouffées tièdes. Il avait envie de hausser les épaules, de sauter sur le premier autobus à plate-forme et de rentrer au Quai.

— Merde pour les Parendon!

Là, il trouverait peut-être un pauvre type qui avait vraiment tué parce qu'il ne pouvait plus faire autrement, ou encore un jeune fauve de Pigalle, monté de Marseille ou de Bastia, qui avait descendu un rival pour se faire croire qu'il était un homme.

Il s'assit à une terrasse, près d'un brasero, pour boire son café. Puis il entra et s'enferma dans la cabine téléphonique.

— Ici, Maigret... Passez-moi quelqu'un de mon bureau, s'il vous plaît... Peu importe... Janvier, Lucas ou Lapointe de préférence...

Ce fut Lapointe qui répondit.

— Rien de nouveau, fiston?

— Un coup de téléphone de Mme Parendon. Elle voulait vous parler personnellement et j'ai eu toutes les peines à lui faire comprendre que vous déjeuniez comme tout le monde...

— Que voulait-elle?

— Que vous alliez la voir le plus tôt possible...

— Chez elle?

— Oui... Elle vous attendra jusqu'à quatre heures... Plus tard, elle a un rendez-vous important...

— Sans doute avec son coiffeur... C'est tout?...

— Non... Mais le reste est peut-être une blague... Il y a une demi-heure, la standardiste a eu quelqu'un au bout du fil, un homme ou une femme, elle ne sait pas, une voix bizarre, qui aurait pu être celle d'un enfant... En tout cas, la personne haletait, pressée ou émue, et elle a prononcé très vite :

« — Dites au commissaire Maigret qu'il se dépêche...

« La téléphoniste n'a pas eu le temps de poser une question; on avait déjà raccroché.

« Cette fois, il ne s'agit plus d'une lettre et c'est pourquoi je me demande... »

Maigret faillit lui répondre :

— Ne te demande rien.

Il ne se demandait rien, lui. Il n'essayait pas de jouer aux devinettes, ce qui ne l'empêchait pas d'être inquiet.

— Merci, mon petit. Je retourne justement avenue Marigny. S'il y a du nouveau, on peut m'y appeler.

Les empreintes digitales, sur les deux lettres, n'avaient rien donné. Depuis des années, les empreintes compromettantes sont de plus en plus rares car on en a tant parlé dans les journaux, dans les romans, à la télévision, que les plus obtus des malfaiteurs prennent leurs précautions.

Il passa devant la loge où l'ancien inspecteur de la rue des Saussaies le salua avec une familiarité respectueuse. La Rolls franchissait le porche, sans personne derrière le chauffeur. Maigret monta au premier, sonna.

— Bonjour, Ferdinand...

Ne devenait-il pas un peu de la maison?

— Je vous conduis chez Madame...

Ferdinand était averti. Elle n'avait rien laissé au hasard. Débarrassé de son chapeau, comme dans les restaurants, il traversait pour la première fois un immense salon qui aurait pu être celui d'un ministère. Pas un objet personnel ne traînait, une écharpe, un fume-cigarette, un livre ouvert. Pas un mégot dans les cendriers. Trois hautes fenêtres ouvertes sur la cour paisible que baignait maintenant le soleil et où on ne lavait plus de voiture.

Un couloir. Un coude. L'appartement semblait

comporter un corps central et deux ailes, comme les vieux châteaux. Une bande de moquette rouge sur le sol dallé de marbre blanc. Toujours ces plafonds trop hauts qui vous rapetissaient.

Ferdinand frappait doucement à une porte à deux battants qu'il ouvrait sans attendre et annonçait :

— Le commissaire Maigret...

Il se trouvait dans un boudoir où il n'y avait personne, mais immédiatement Mme Parendon jaillit d'une pièce voisine, le bras en avant, marchant au-devant de Maigret à qui elle serra vigoureusement la main.

— Je suis confuse, Monsieur le Commissaire, de vous avoir téléphoné, ou plus exactement d'avoir téléphoné à un de vos employés...

Tout, ici, était bleu, la soie brochée qui recouvrait les murs, les fauteuils Louis XV, la moquette; même le tapis chinois à dessins jaunes avait un fond bleu.

Etait-ce un hasard si, à deux heures de l'après-midi, elle était encore en négligé, un négligé bleu turquoise?

— Excusez-moi de vous recevoir dans mon trou, comme je dis, mais c'est le seul endroit où on ne soit pas sans cesse dérangé...

La porte par laquelle elle était entrée restait entrouverte et il apercevait une coiffeuse, Louis XV aussi, indiquant que c'était sa chambre à coucher.

— Asseyez-vous, je vous en prie...

Elle lui désignait un fauteuil fragile dans lequel le commissaire se glissait avec précaution, se promettant de ne pas trop remuer.

— Surtout, fumez votre pipe...

Même s'il n'en avait pas envie! Elle le voulait

comme sur les photographies des journaux. Les photographes, eux aussi, ne manquaient jamais de lui rappeler :

— Votre pipe, Monsieur le Commissaire...

Comme s'il têtait sa pipe du matin au soir ! Et s'il avait envie de fumer une cigarette? Un cigare? Ou de ne pas fumer du tout?

Il n'aimait pas le fauteuil dans lequel il était assis et qu'il s'attendait à entendre craquer d'un moment à l'autre. Il n'aimait pas ce boudoir bleu, cette femme en bleu qui lui adressait un sourire voilé.

Elle s'était assise dans une bergère et allumait une cigarette à l'aide d'un briquet en or comme il en avait vu à la vitrine de Cartier. La boîte à cigarettes était en or. Beaucoup de choses devaient être en or, dans ces pièces-ci.

— Je suis un peu jalouse que vous vous occupiez de cette petite Vague avant de vous occuper de moi. Ce matin...

— Je n'aurais pas osé vous déranger de si bonne heure...

Allait-il devenir un Maigret mondain? Il s'en voulait de sa propre suavité.

— On vous a sans doute raconté que je me lève tard et que je traîne dans mon appartement jusqu'à midi... C'est vrai et c'est faux... J'ai une très grande activité, Monsieur Maigret, et, en réalité, je commence mes journées de bonne heure...

« D'abord, il y a cette grande maison à diriger. Si je ne téléphonais pas moi-même aux fournisseurs, je ne sais pas ce que nous mangerions, ni quelles factures nous recevrions en fin de mois... Mme Vauquin est une excellente cuisinière, mais le téléphone l'effraie encore et la fait bégayer...

Les enfants me prennent du temps... Même s'ils sont devenus grands, il faut que je m'occupe de leurs vêtements, de leurs activités...

« Sans moi, Gus vivrait toute l'année en pantalon de coutil, pull-over et sandales de tennis...

« Peu importe... Je ne parle pas des œuvres auxquelles je me consacre... D'autres se contentent d'envoyer un chèque, d'assister à un cocktail de bienfaisance, mais, quand il s'agit d'un travail réel, on ne trouve plus personne... »

Il attendait, patient, poli, tellement patient et tellement poli qu'il n'en revenait pas.

— J'imagine que vous avez une vie agitée, vous aussi...

— Vous savez, Madame, je ne suis jamais qu'un fonctionnaire...

Elle rit, montrant toutes ses dents, un bout de langue rose. Elle avait la langue très pointue, cela le frappa. Elle était blonde, d'un blond tirant sur le roux, avec des yeux qu'on dit verts mais qui sont le plus souvent d'un gris trouble.

Avait-elle quarante ans? Un peu plus? Un peu moins? Quarante-cinq? C'était impossible à dire tant on sentait le travail de l'institut de beauté.

— Il faudra que je répète cette phrase-là à Jacqueline... C'est la femme du ministre de l'Intérieur, une de mes bonnes amies...

Bon! Il était averti. Elle n'avait pas mis de temps à jouer son premier atout.

— J'ai l'air de plaisanter... Je plaisante... Mais croyez que ce n'est qu'une façade... En réalité, Monsieur Maigret, je suis tourmentée par ce qui se passe, plus que tourmentée même...

Et, de but en blanc :

— Comment avez-vous trouvé mon mari?

— Très sympathique...

— Bien sûr... C'est ce qu'on dit toujours... Je parle de...

— Il est fort intelligent, d'une intelligence remarquable et...

Elle s'impatientait. Elle savait où elle voulait en venir et lui coupait la parole. Maigret, observant les mains, remarqua qu'elles étaient plus vieilles que le visage.

— Je le crois aussi d'une grande sensibilité...

— Si vous étiez tout à fait franc, ne diriez-vous pas d'une sensibilité exagérée?

Il ouvrit la bouche mais, cette fois, ce fut elle qui gagna en enchaînant :

— Par moments, il me fait peur à force de se replier sur lui-même. C'est un homme qui souffre. Je l'ai toujours su. Lorsque je l'ai épousé, il existait, dans mon amour, une certaine dose de pitié...

Il fit l'imbécile.

— Pourquoi?

Elle en fut un instant désarçonnée.

— Mais... Mais enfin, vous l'avez vu... Dès l'enfance, il a dû avoir honte de son aspect physique...

— Il n'est pas grand. D'autres que lui...

— Voyons, commissaire, s'énerva-t-elle, jouons franc jeu... J'ignore quelle hérédité pèse sur lui, ou plutôt je ne le sais que trop... Sa mère était une jeune infirmière à Laënnec, plus exactement une fille de salle, et elle n'avait que seize ans quand le professeur Parendon lui a fait un enfant... Pourquoi, comme chirurgien, n'a-t-il pas procédé à une intervention?... L'a-t-elle menacé d'un scandale?... Je l'ignore... Ce que je sais, c'est qu'Emile est né à sept mois... C'est un prématuré...

— La plupart des prématurés deviennent des enfants normaux...

— Vous le trouvez normal, vous?

— Dans quel sens?

Elle éteignait nerveusement sa cigarette pour en allumer une autre.

— Excusez-moi. Vous me donnez l'impression de vous esquiver, de ne pas vouloir comprendre...

— Comprendre quoi?

Elle n'y tint plus, se leva d'une détente et se mit à arpenter le tapis chinois.

— Comprendre pourquoi je suis inquiète, pourquoi, comme on dit vulgairement, je me ronge les sangs! Depuis près de vingt ans, je m'efforce de le protéger, de le rendre heureux, de lui donner une vie normale...

Il continuait à fumer sa pipe en silence tout en la suivant des yeux. Elle portait de fort élégantes pantoufles qui avaient dû être faites sur mesure.

— Ces lettres dont il m'a parlé... J'ignore qui les a écrites, mais elles reflètent assez bien mon angoisse...

— Celle-ci dure depuis combien de temps?

— Des semaines... Des mois... Je n'ose dire des années... Au début de notre mariage, il me suivait, nous sortions, nous allions au théâtre, nous dînions en ville...

— Cela le rendait gai?

— En tout cas il était détendu... Je soupçonne maintenant qu'il ne se sent nulle part à sa place, qu'il a honte de ne pas être comme les autres, qu'il en a toujours été ainsi...

« Tenez! Même ce choix, pour sa carrière, du Droit Maritime... Voulez-vous me dire pour quelle raison un homme comme lui peut avoir choisi le Droit Maritime?... C'était comme un défi... Ne pouvant plaider aux assises...

— Pourquoi?

Elle le regardait, découragée.

— Mais enfin, Monsieur Maigret, vous le savez aussi bien que moi... Voyez-vous ce petit homme pâle et inconsistant défendant, dans la grande salle des assises, la tête d'un criminel?...

Il préféra ne pas lui rétorquer qu'un maître du Barreau du siècle dernier ne mesurait qu'un mètre cinquante-cinq.

— Il se morfond. A mesure que le temps passe, que l'âge avance, il se barricade davantage et, lorsque nous donnons un dîner, j'ai toutes les peines du monde à obtenir qu'il y assiste...

Il ne lui demanda pas non plus :

— Qui établit la liste des invités?

Il écoutait, regardait.

-:-

Il regardait et essayait de ne pas se laisser troubler, car le portrait que traçait de son mari cette femme aux nerfs tendus, à l'énergie brûlante, était à la fois vrai et faux.

Vrai en quoi?

Faux en quoi?

C'est ce qu'il aurait voulu démêler. L'image d'Emile Parendon devenait à ses yeux comme une photo bougée. Les contours manquaient de netteté. Les traits changeaient d'expression selon l'angle dans lequel on les regardait.

C'était vrai qu'il s'était enfermé dans un

monde à lui, dans le monde, aurait-on pu dire, de l'article 64. L'homme responsable? Irresponsable? D'autres que lui se passionnaient pour cette question primordiale et des conciles en avaient discuté dès le Moyen Age.

Chez lui, cette pensée n'était-elle pas devenue une hantise? Maigret se souvenait de son entrée dans le bureau, la veille, du regard que Parendon lui avait lancé, comme si le commissaire, à ce moment-là, représentait pour lui une sorte d'incarnation du fameux article du Code ou était capable de fournir une réponse.

L'avocat ne lui avait pas demandé ce qu'il venait faire, ce qu'il désirait. Il lui avait parlé de l'article 64, la lèvre presque tremblante de passion.

C'était vrai que...

Oui, il menait une existence presque solitaire dans cette maison trop grande pour lui comme un veston de géant.

Comment, avec son corps chétif, avec toutes les pensées qu'il roulait dans sa tête, affronter sans cesse cette femme qui trépidait en communiquant sa trépidation à tout ce qui l'entourait?

C'était vrai que...

Une demi-portion soit! Un gnome, soit encore.

Mais, parfois, quand les pièces voisines paraissaient vides, quand l'occasion semblait favorable, il faisait l'amour avec Mlle Vague.

Qu'est-ce qui était vrai? Qu'est-ce qui était faux? Est-ce que Bambi elle-même ne se protégeait pas de sa mère en se réfugiant dans l'archéologie?

— Ecoutez-moi, Monsieur Maigret. Je ne suis pas la femme frivole qu'on a pu vous décrire. Je suis une femme qui a des responsabilités et qui, en outre, s'efforce de se rendre utile. Notre père nous a élevées ainsi, mes sœurs et moi. C'était un homme de devoir...

Aïe!... Le commissaire n'appréciait pas du tout ces mots-là : le magistrat intègre, honneur de la magistrature, enseignant à ses filles le sens du devoir...

Pourtant, chez elle, cela sonnait à peine faux. Elle ne donnait pas de temps à l'esprit de se fixer sur une phrase car son visage bougeait, tout son corps bougeait et les mots succédaient aux mots, les idées aux idées, les images aux images.

— Il y a de la peur, dans cette maison, c'est vrai... Et cette peur, c'est moi qui la ressens le plus... Non! N'allez pas croire que je vous ai écrit ces lettres... Je suis trop directe pour employer des moyens détournés...

« Si j'avais voulu vous voir, je vous aurais téléphoné comme je l'ai fait ce matin...

« J'ai peur... Pas tellement pour moi, mais pour lui... Ce qu'il peut faire, je l'ignore, mais je sens qu'il fera quelque chose, qu'il est à bout, qu'une sorte de démon, en lui, le pousse à un geste dramatique... »

— Qu'est-ce qui vous fait penser cela?

— Vous l'avez vu, non?

— Il m'a paru très calme, pondéré, et je lui ai trouvé un sens assez poussé de l'humour...

— D'un humour grinçant, pour ne pas dire un humour macabre... Cet homme-là se ronge... Ses affaires ne lui prennent pas plus de deux ou trois jours par semaine et la plus grosse partie des recherches est assumée par René Tortu...

« Il lit des revues, envoie des lettres aux quatre

coins du monde, à des gens qu'il ne connaît pas et dont il a lu les articles...

« Il lui arrive de rester plusieurs jours sans mettre les pieds dehors, se contentant de regarder le monde par la fenêtre... Les mêmes marronniers, le même mur qui entoure le jardin de l'Élysée, j'allais ajouter les mêmes passants...

« Vous êtes venu deux fois et vous n'avez pas demandé à me voir... Or, je suis malheureusement la première intéressée... Je suis sa femme, ne l'oubliez pas, même si lui paraît parfois l'oublier... Nous avons deux enfants qui ont encore besoin d'être guidés... »

Elle lui donna le temps de souffler, en allumant une cigarette. C'était la quatrième. Elle fumait goulûment, sans ralentir son débit, et le boudoir était déjà envahi de nuages de fumée.

— Ce qu'il fera, je ne pense pas que vous puissiez le prévoir mieux que moi... Est-ce à lui-même qu'il s'en prendra?... C'est possible et j'en serais terriblement affectée, après avoir essayé pendant tant d'années de le rendre heureux...

« Est-ce ma faute si je n'y suis pas parvenue?

« Peut-être serai-je la victime, ce qui est le plus probable, car il s'est mis petit à petit à me haïr... Comprenez-vous ça?... Son frère, qui est neurologue, pourrait nous l'expliquer... Il a besoin de projeter sur quelqu'un ses désillusions, ses rancœurs, ses humiliations... »

— Excusez-moi si...

— Laissez-moi finir, je vous en prie... Demain, après-demain, n'importe quand, vous serez peut-être appelé ici pour vous trouver devant une morte qui sera moi...

« Je lui pardonne d'avance, car je sais qu'il

n'est pas responsable et que la médecine, malgré ses progrès... »

— Vous considérez votre mari comme un cas médical?

Elle le regarda avec une sorte de défi.

— Oui.

— Un cas mental?

— Peut-être.

— En avez-vous parlé à des médecins?

— Oui.

— Des médecins qui le connaissent?

— Nous avons plusieurs médecins parmi nos amis.

— Que vous ont-ils dit exactement?

— De prendre garde...

— De prendre garde à quoi?

— Nous ne sommes pas entrés dans les détails. Il ne s'agissait pas de consultations, mais de conversations mondaines...

— Tous ont été du même avis?

— Plusieurs...

— Vous pouvez me citer des noms?

Maigret le faisait exprès de tirer son calepin noir de sa poche. Ce geste suffit pour qu'elle batte en retraite.

— Il ne serait pas correct de vous donner leur nom mais, si vous voulez le faire examiner par un expert...

Maigret avait perdu son air patient et bonasse. Ses traits étaient tendus, eux aussi, car les choses commençaient à aller très loin.

— Lorsque vous avez téléphoné à mon bureau pour me demander de venir vous voir, aviez-vous déjà cette idée en tête?

— Quelle idée?

— De me demander plus ou moins directement

de faire examiner votre mari par un psychiatre.

— J'ai dit cela? C'est un mot que je n'ai même pas prononcé...

— Mais il transparaissait en filigrane dans tout ce que vous avez dit...

— Dans ce cas, vous m'avez mal compris, ou je me suis mal exprimée... Je suis peut-être trop franche, trop spontanée... Je ne me donne pas la peine de choisir mes mots... Ce que je vous ai dit, ce que je vous répète, c'est que j'ai peur, que la peur flotte dans la maison...

— Et moi je vous répète :

« — La peur de quoi? »

Elle se rasseyait, comme épuisée, le regardait avec découragement.

— Je ne sais plus que vous dire, Monsieur le Commissaire. Je croyais que vous comprendriez sans que j'aie besoin de préciser. J'ai peur pour moi, pour lui...

— Autrement dit, peur qu'il vous tue ou qu'il se suicide?

— Exprimé ainsi, cela semble ridicule, je le sais, alors que tout paraît si paisible autour de nous...

— Je m'excuse d'être indiscret. Votre mari a-t-il encore avec vous des relations sexuelles?...

— Jusqu'à il y a un an...

— Que s'est-il passé il y a un an qui a changé la situation?

— Je l'ai surpris avec cette fille...

— Mlle Vague?

— Oui.

— Dans le bureau?

— C'était sordide...

— Et, depuis, vous lui fermez votre porte?... Il a essayé plusieurs fois de la franchir?

— Une seule. Je lui ai dit ce que j'avais sur le cœur et il a compris.

— Il n'a pas insisté?

— Il ne s'est même pas excusé. Il s'est retiré comme quelqu'un qui s'est trompé d'étage...

— Vous avez eu des amants?

— Comment?

Ses yeux étaient devenus durs, son regard pointu, méchant.

— Je vous demande, répétait-il placidement, si vous avez eu des amants. Ce sont des choses qui arrivent, n'est-ce pas?

— Pas dans notre famille, Monsieur le Commissaire, et si mon père était ici...

— En tant que magistrat, votre père comprendrait que c'est mon devoir de vous poser la question... Vous venez me parler d'une peur ambiante, d'une menace qui pèse sur vous ou sur votre mari... Vous suggérez à mots couverts de faire examiner celui-ci par un psychiatre... Il est donc naturel...

— Je vous demande pardon... Je me suis laissé emporter... Je n'ai pas eu d'amants, non, et je n'en aurai jamais...

— Possédez-vous une arme?

Elle se leva, marcha vivement vers la chambre voisine, revint et tendit à Maigret un petit revolver de nacre.

— Attention... Il est chargé...

— Il y a lontemps que vous l'avez?

— Une amie qui, elle, avait vraiment le sens de l'humour noir, me l'a donné lors de mon mariage...

— Vous n'avez pas peur que les enfants, par jeu...

— Ils viennent rarement dans ma chambre et,

quand ils étaient plus jeunes, cette arme se trouvait dans un tiroir fermé à clef.

— Vos fusils?

— Ils sont dans un étui, l'étui dans la remise, avec nos malles, nos valises et nos sacs de golf.

— Votre mari joue au golf?

— J'ai essayé de l'y intéresser mais, dès le troisième trou, il est à bout de souffle...

— Il est souvent malade?

— Il a eu peu de maladies graves... La plus grave, si je me souviens bien, a été une pleurésie... Par contre, il est assailli de bobos, des laryngites, des grippes, des rhumes de cerveau...

— Il appelle son médecin?

— Bien entendu.

— Un de vos amis?

— Non. Un médecin du quartier, le docteur Martin, qui habite rue du Cirque, derrière chez nous...

— Le docteur Martin ne vous a jamais prise à part?...

— Lui, non, mais il m'est arrivé de l'attendre à sa sortie pour lui demander si mon mari n'avait rien de grave...

— Qu'a-t-il répondu?

— Que non... Que les hommes comme lui sont ceux qui vivent le plus vieux... Il m'a cité le cas de Voltaire qui...

— Je connais le cas de Voltaire... Il n'a jamais proposé de consulter un spécialiste?...

— Non... Seulement...

— Seulement?...

— A quoi bon? Vous allez encore mal interpréter mes paroles.

— Essayez quand même.

— Je sens, à votre attitude, que mon mari vous

a fait une excellente impression et j'en étais sûre d'avance. Je ne dirai pas qu'il joue sciemment un rôle. En face des étrangers, c'est un homme enjoué, qui fait montre d'une grande stabilité. Avec le docteur Martin, il parle et se comporte comme avec vous...

— Et avec le personnel?

— Ce n'est pas lui qui est responsable du travail des domestiques...

— Ce qui signifie?

— Qu'il n'a pas à les réprimander... Ce soin, il me le laisse, de sorte que je joue le vilain rôle...

Maigret étouffait dans son fauteuil trop douillet, dans ce boudoir dont le bleu commençait à lui devenir insupportable. Il se leva, faillit s'étirer comme il l'aurait fait dans son bureau.

— Avez-vous encore quelque chose à me dire?

Debout à son tour, elle le toisait comme d'égal à égal.

— Ce serait inutile.

— Désirez-vous que je vous envoie un inspecteur pour veiller en permanence dans l'appartement?

— L'idée est parfaitement ridicule.

— Pas si j'en crois vos pressentiments...

— Il ne s'agit pas de pressentiments...

— Il ne s'agit pas de faits non plus...

— Pas encore...

— Résumons-nous... Votre mari, depuis un certain temps, donne des signes de dérangement mental...

— Vous y tenez!

— Il se renferme sur lui-même et son comportement vous inquiète...

— C'est plus près de la vérité.

— Vous craignez pour sa vie ou pour la vôtre...

— Je l'avoue.

— Pour laquelle penchez-vous?

— Si je le savais, je serais en partie soulagée.

— Quelqu'un qui vit dans cette maison ou qui y a aisément accès nous a envoyé, au Quai, deux lettres annonçant un drame prochain... Je puis ajouter, à présent, qu'il y a eu, en outre, en mon absence, un coup de téléphone...

— Pourquoi ne m'en avez-vous pas parlé?...

— Parce que je vous écoutais... Ce message, très bref, ne fait que confirmer les précédents... L'inconnu ou l'inconnue a dit, prononcé en substance :

« — Dites au commissaire Maigret que c'est pour bientôt... »

Il la vit pâlir. Ce n'était pas de la comédie. Son visage, soudain, devint terne, avec seulement des taches de fard. Les coins des lèvres s'affaissaient.

— Ah!

Elle baissait la tête et son corps mince semblait avoir perdu sa prodigieuse énergie.

A ce moment-là, il oublia son agacement et en eut pitié.

— Vous ne voulez toujours pas que je vous envoie quelqu'un?

— A quoi bon?

— Que voulez-vous dire?

— S'il doit se passer quelque chose, ce n'est pas la présence d'un policier, qui se tiendra Dieu sait où, qui l'évitera...

— Savez-vous que votre mari possède un automatique?

— Oui.

— Sait-il, lui, que vous possédez ce revolver?

— Bien entendu.

— Vos enfants?...

Prête à pleurer d'énervement, elle s'écria :

— Mes enfants n'ont rien à voir dans tout cela, ne le comprenez-vous pas? Ils s'occupent d'eux, et non de nous. Ils ont leur vie à faire. La nôtre, ce qu'il en reste, ils s'en moquent...

Elle avait parlé de nouveau avec véhémence, comme si certains sujets déclenchaient automatiquement sa fièvre.

— Allez!... Excusez-moi de ne pas vous reconduire... Je me demande ce que j'avais espéré... Arrivera ce qui doit arriver!... Allez retrouver mon mari, ou bien cette fille... Je vous salue, Monsieur Maigret...

Elle lui avait ouvert la porte et attendait qu'il soit sorti pour la refermer. Dans le couloir, déjà, il semblait au commissaire qu'il sortait d'un autre monde et le bleu du décor qu'il quittait le hantait encore.

Par une fenêtre, il regarda dans la cour où un autre chauffeur que celui du matin astiquait une autre voiture. Il y avait toujours du soleil, une légère brise.

Il fut tenté de prendre son chapeau dans le vestiaire qu'il connaissait et de sortir sans rien dire. Puis, comme malgré lui, il gagna le bureau de Mlle Vague.

Une blouse blanche passée sur sa robe, elle photocopiait des documents. Les persiennes étaient fermées, ne laissant filtrer que des rais de lumière.

— C'est M. Parendon que vous voulez voir?

— Non.

— Tant mieux, car il est en conférence avec deux gros clients, l'un venu d'Amsterdam, l'autre d'Athènes. Ce sont tous les deux des armateurs qui...

Il n'écoutait pas et elle allait ouvrir les persiennes, livrant la pièce étroite à un flot de soleil.

— Vous paraissez fatigué...

— J'ai passé une heure avec Mme Parendon.

— Je sais.

Il regarda le standard téléphonique.

— C'est vous qui lui avez demandé la communication avec le quai des Orfèvres?

— Non. J'ignorais même qu'elle avait téléphoné. C'est Lise qui, en venant me demander un timbre...

— Qui est Lise?

— La femme de chambre.

— Je sais. Je vous demande quel genre de personne c'est...

— Une simple fille comme moi... Nous sommes venues toutes les deux de province, moi d'une petite ville, elle de la campagne... Comme j'avais une certaine instruction, je suis devenue secrétaire et, comme elle n'en avait pas, elle est devenue femme de chambre...

— Quel âge a-t-elle?

— Vingt-trois ans... Je connais l'âge de chacun, car c'est moi qui remplis les formalités pour la Sécurité Sociale...

— Dévouée?...

— Elle fait avec soin ce qu'on lui dit de faire et

je ne pense pas qu'elle ait envie de changer de place...

— Des amants?

— Son jour de sortie, le samedi...

— Elle est assez intelligente pour écrire les lettres que vous avez lues?

— Certainement pas.

— Saviez-vous que, voilà à peu près un an, Mme Parendon vous a surprise avec son mari?

— Je vous ai dit que c'était arrivé une fois mais, d'autres fois, elle a pu ouvrir et refermer la porte sans bruit...

— Parendon vous a-t-il confié que, depuis, sa femme lui refuse tous rapports sexuels?

— Ils étaient si rares!

— Pourquoi?

— Parce qu'il ne l'aime pas.

— Ne l'aime pas ou ne l'aime plus?

— Cela dépend du sens qu'on donne au mot aimer. Il lui a sans doute été reconnaissant de l'épouser et, pendant des années, il s'est efforcé de lui témoiner cette reconnaissance...

Maigret sourit en pensant que de l'autre côté du mur, deux importants pétroliers venus de points opposés de l'Europe mettaient leur prospérité entre les mains du petit homme dont Mlle Vague et lui parlaient de la sorte.

Pour eux, il n'était pas un gnome falot, à moitié impuissant, renfermé sur lui-même et ruminant des pensées malsaines, mais une des lumières du Droit Maritime. N'étaient-ils pas en train, tous les trois, de jouer avec des centaines de millions tandis que Mme Parendon, rageuse ou abattue, déçue en tout cas, s'habillait pour son rendez-vous de quatre heures?

— Vous ne voulez pas vous asseoir?

— Je crois que je vais aller jeter un coup d'œil à côté.

— Vous n'y trouverez que Julien Baud, car Tortu est au Palais.

Il fit un geste vague.

— Va pour Julien Baud !

CHAPITRE IV

MAIGRET AURAIT PU croire qu'il entrait dans un autre appartement. Autant le reste de la maison était ordonné, figé dans une solennité jadis ordonnée par le Président Gassin de Beaulieu, autant le désordre et le laisser-aller frappaient dès le premier coup d'œil, dans le bureau que René Tortu partageait avec le jeune Julien Baud.

Près de la fenêtre, un bureau, comme on en trouve dans toutes les affaires commerciales, était encombré de dossiers et il y avait des classeurs verts sur des rayonnages de sapin qu'on avait superposés les uns aux autres au fur et à mesure des besoins. Il y en avait même par terre, à même le parquet ciré.

Quant au bureau de Julien Baud, c'était une ancienne table de cuisine recouverte de papier d'emballage maintenu par des punaises et, sur le mur, des photos de femmes nues, extraites de magazines, étaient collées au scotch-tape. Baud était occupé à affranchir des enveloppes qu'il pesait une à une au moment où le commissaire poussa la porte. Il leva la tête et le regarda sans étonnement, sans émotion, avec l'air de se demander ce qu'il venait faire.

— Vous cherchez Tortu?

— Non. Je sais qu'il est au Palais.

— Il ne va pas tarder à rentrer.

— Ce n'est pas lui que je cherche.

— Alors qui?

— Personne.

Un garçon bien bâti, aux cheveux roux, avec des taches de son sur les joues. Ses yeux d'un bleu faïence exprimaient un calme absolu.

— Vous voulez vous asseoir?

— Non...

— Comme vous voudrez...

Il continuait à peser les lettres, certaines d'un grand format, en papier bulle, puis il consultait un opuscule indiquant les tarifs postaux pour les différents pays.

— Cela vous amuse? demanda Maigret.

— Vous savez, moi, du moment que je suis à Paris...

Il avait une pointe d'accent savoureux, traînait sur certaines syllabes.

— D'où êtes-vous?

— De Morges... Au bord du Léman... Vous connaissez?...

— J'y suis passé...

— C'est joli, n'est-ce pas?

Le joli devenait joooli et le « n'est-ce pas » chantait.

— C'est joli, oui... Que pensez-vous de cette maison?

Il se méprit sur le sens du mot maison.

— C'est grand...

— Comment vous entendez-vous avec M. Parendon?

— Je ne le vois pas beaucoup... Moi, ici, je colle les timbres, je vais à la poste, je fais les courses, je ficelle les paquets... Je ne suis pas quelqu'un de bien important... De temps en temps, le patron entre dans le bureau et me tapote l'épaule en me demandant :

« — Ça va, jeune homme?

« Les domestiques, eux, m'appellent le petit Suisse, bien que je mesure un mètre huitante à la toise... »

— Vous vous entendez bien avec Mlle Vague?

— Elle est gentille...

— Qu'est-ce que vous pensez d'elle?

— Elle aussi, vous savez, elle est de l'autre côté du mur, côté patron...

— Que voulez-vous dire?

— Ce que je dis, quoi... Ils ont leur boulot, par là, et nous avons le nôtre... Quand le patron a besoin de quelqu'un, ce n'est pas de moi, mais d'elle...

Il y avait de la naïveté sur son visage, mais le commissaire n'était pas sûr que cette naïveté n'était pas jouée.

— Il paraît que vous voulez devenir auteur dramatique?

— J'essaie d'écrire des pièces... J'en ai déjà écrit deux, mais elles sont mauvaises... Quand on vient, comme moi, du canton de Vaud, il faut d'abord s'habituer à Paris...

— Tortu vous aide?

— M'aide à quoi?

— A connaître Paris... En sortant avec vous, par exemple...

— Il n'est jamais sorti avec moi... Il a autre chose à faire...

— Quoi?

— Sa fiancée, ses copains... Dès que j'ai débarqué à la gare de Lyon, j'ai compris... Ici, c'est chacun pour soi...

— Vous voyez souvent Mme Parendon?

— Assez souvent, surtout le matin... Quand elle a oublié de téléphoner à un fournisseur, elle vient me trouver.

« — Mon petit Baud, vous seriez gentil de commander un gigot et de demander qu'on le livre toute de suite... S'ils n'ont personne, faites un saut à la boucherie, voulez-vous?

« Alors, je vais à la boucherie, chez le poissonnier, chez l'épicier... Je vais chez son bottier s'il y a une égratignure à un soulier... C'est toujours mon petit Baud... Faire ça ou coller les timbres... »

— Que pensez-vous d'elle?

— Peut-être que je la mettrai dans une de mes pièces...

— Parce que c'est un personnage peu ordinaire?

— Il n'y a personne d'ordinaire, ici... Ils sont tous cinglés...

— Votre patron aussi?

— Il est intelligent, c'est sûr, sinon il ne ferait pas le métier qu'il fait, mais c'est un maniaque, non?... Avec tout l'argent qu'il gagne, il pourrait quand même faire autre chose que rester assis derrière son bureau ou dans un fauteuil... Il n'est pas très vigoureux, bon, mais ça n'empêche pas...

— Vous connaissez ses relations avec Mlle Vague?

— Tout le monde est au courant... Mais il pourrait s'en payer dix, il pourrait s'en payer cent, si vous voyez ce que je veux dire...

— Et ses relations avec sa femme?...

— Quelles relations?... Ils vivent dans la même maison, se rencontrent dans les couloirs comme des gens se croisent sur le trottoir... Une fois, j'ai dû entrer dans la salle à manger pendant le déjeuner, parce que j'étais seul au bureau et que je venais de recevoir un télégramme urgent... Eh bien! ils étaient tous assis, comme au restaurant, des dîneurs qui ne se connaissent pas...

— Vous ne paraissez pas les porter dans votre cœur...

— Je ne suis pas si mal tombé... Ils me fournissent des personnages...

— Comiques?

— Comiques et dramatiques en même temps... Comme la vie...

— Vous avez entendu parler des lettres?

— Bien sûr...

— Vous avez une idée de qui les a écrites?

— Cela pourrait être tout le monde... Cela pourrait être moi...

— Vous l'avez fait?

— Non... Je n'y ai pas pensé...

— La jeune fille s'entend bien avec vous?

— Mlle Bambi?

Il haussa les épaules.

— Je me demande si elle me reconnaîtrait dans la rue. Quand elle a besoin de quelque chose, de papier, de ciseaux, de n'importe quoi, elle entre et se sert sans rien dire, puis elle s'en va de même...

— Orgueilleuse?

— Peut-être pas... Peut-être est-ce son caractère?...

— Vous croyez, vous aussi, qu'un drame pourrait se produire?

Il regarda Maigret de ses grands yeux bleus.

— Un drame peut se produire partout... Tenez, l'année dernière, un jour qu'il faisait un aussi beau soleil qu'aujourd'hui, une brave petite vieille qui trottinait s'est fait renverser par un autobus juste devant la maison... Eh bien, quelques secondes avant, elle n'en savait rien...

On entendait des pas pressés dans le couloir. Un garçon d'une trentaine d'années, un brun, de taille moyenne, s'arrêtait net dans l'encadrement de la porte.

— Entrez, Monsieur Tortu...

Il portait une serviette à la main et avait l'air important.

— Le commissaire Maigret, je suppose?

— Votre supposition est exacte.

— C'est moi que vous voulez voir? Il y a longtemps que vous m'attendez?

— En fait, je n'attends personne...

Il était assez beau garçon, les cheveux sombres, les traits bien dessinés, le regard agressif. On le devinait décidé à faire son chemin dans la vie.

— Vous ne vous asseyez pas? questionnait-il en se dirigeant vers le bureau sur lequel il posait sa serviette.

— Je suis resté assis une bonne partie de la journée. Nous bavardions, votre jeune collègue et moi...

Le mot collègue choqua visiblement René Tortu qui lança un vilain regard au Vaudois.

— J'avais une affaire importante au Palais...

— Je sais... Vous plaidez souvent?

— Chaque fois qu'une conciliation se révèle impossible... Maître Parendon se présente rarement en personne devant les magistrats... Nous préparons les dossiers et c'est moi qui suis ensuite chargé...

— Je comprends...

Celui-ci ne doutait pas de son importance.

— Que pensez-vous de maître Parendon?

— En tant qu'homme ou en tant que juriste?

— Les deux.

— En tant que juriste, il dépasse de loin tous ses confrères et personne n'est aussi habile que lui à déceler le point faible dans l'argumentation de l'adversaire...

— L'homme?

— Travaillant pour lui, étant pour ainsi dire son seul collaborateur, il ne m'appartient pas de le juger sur ce plan-là...

— Vous le trouvez vulnérable?

— Je n'aurais pas pensé à ce mot... Mettons qu'à sa place et à son âge je mènerais une vie plus active...

— En assistant aux réceptions que donne sa femme, par exemple, en allant au théâtre avec elle ou en dînant en ville?

— Peut-être... On ne vit pas seulement parmi les livres et les dossiers...

— Vous avez lu les lettres?

— Maître Parendon m'en a montré les photostats.

— Vous croyez à une plaisanterie?

— Peut-être... Je vous avoue que je n'y ai pas beaucoup réfléchi...

— Elles annoncent pourtant un drame plus ou moins prochain dans la maison...

Tortu ne dit rien. Il retirait des papiers de sa serviette et les rangeait dans les classeurs.

— Vous épouseriez une jeune fille qui serait une Mme Parendon en plus jeune?

Tortu le regarda avec étonnement.

— Je suis déjà fiancé, on ne vous l'a pas dit? Il n'est donc pas question...

— C'est une façon de vous demander ce que vous pensez d'elle...

— Elle est active, intelligente, et elle sait entretenir des relations avec...

Il regarda vivement du côté de la porte et on aperçut, dans l'encadrement, celle dont on parlait justement. Elle portait un manteau de léopard sur une robe de soie noire. Ou bien elle allait sortir, ou bien elle rentrait déjà.

— Vous êtes encore ici, s'étonna-t-elle en fixant un regard froid et tranquille sur le commissaire.

— Comme vous le voyez...

Il était difficile de savoir depuis combien de temps elle se tenait dans le couloir et quelle partie de la conversation elle avait entendue. Maigret comprenait ce que Mlle Vague avait voulu dire en parlant d'une maison où on ne savait jamais si on était épié.

— Mon petit Baud, voulez-vous téléphoner tout de suite à la comtesse de Prange que j'aurai un bon quart d'heure de retard parce que j'ai été retenue au dernier moment?... Mlle Vague est occupée avec mon mari et ces messieurs...

Elle sortit après un dernier et dur regard à

Maigret. Julien Baud décrocha le téléphone. Quant à Tortu, il devait être satisfait car, si Mme Parendon avait entendu ses dernières réponses, elle ne pourrait que lui en être reconnaissante.

— Allô!... Je suis bien chez la comtesse de Prange?...

Maigret haussa légèrement les épaules et sortit de la pièce. Julien Baud l'amusait et il n'était pas sûr que le garçon ne ferait pas carrière comme auteur dramatique. Quant à Tortu, il ne l'aimait pas, sans raison.

La porte de Mlle Vague était ouverte mais le bureau était vide. En passant devant le cabinet de Parendon, il entendit un murmure de voix.

Au moment où il atteignait le vestiaire pour y prendre son chapeau, Ferdinand surgit comme par hasard.

— Vous vous tenez toute la journée à proximité de la porte?

— Non, Monsieur le Commissaire... J'ai seulement pensé que vous ne tarderiez pas à partir... Madame est sortie il y a quelques minutes...

— Je sais... Vous avez fait de la prison, Ferdinand?...

— Seulement de la prison militaire, en Afrique...

— Vous êtes français?

— Je suis d'Aubagne...

— Comment se fait-il que vous vous soyez engagé dans la Légion Etrangère?

— J'étais jeune... J'avais fait quelques bêtises...

— A Aubagne?

— A Toulon... De mauvaises fréquentations. quoi... Quand j'ai senti que ça allait mal tourner, je me suis engagé dans la Légion en me donnant pour Belge...

— Vous n'avez plus eu d'ennuis ensuite?

— Voilà huit ans que je suis au service de M. Parendon et il ne s'est jamais plaint de moi...

— Vous aimez cette place?

— Il y en a de plus mauvaises...

— M. Parendon est gentil avec vous?

— C'est la crème des hommes...

— Et madame?

— Entre nous, c'est un chameau...

— Elle vous mène la vie dure?

— Elle mène la vie dure à tout le monde... Elle est partout, s'occupe de tout, se plaint de tout... Heureusement que j'ai ma chambre au-dessus du garage...

— Pour recevoir vos petites amies?

— Si j'avais le malheur de le faire et qu'elle l'apprenne, elle me donnerait aussitôt mon congé... Pour elle, les domestiques devraient être châtrés... Non, mais, d'être là-bas, me permet de respirer à l'aise... Cela me permet aussi de sortir quand j'en ai envie, bien que je sois relié à l'appartement par une sonnerie et que je sois censé être d'appel, comme elle dit, vingt-quatre heures sur vingt-quatre...

— Elle vous a déjà appelé, la nuit?

— Trois ou quatre fois... Sans doute pour s'assurer que j'étais bien là...

— Sous quel prétexte?

— Une fois, elle avait entendu un bruit suspect et elle a fait avec moi le tour des pièces à la recherche d'un cambrioleur...

— C'était un chat?

— Il n'y a ni chat ni chien dans la maison...

Elle ne le supporterait pas... Quand M. Gus était plus jeune, il avait demandé un jeune chien comme cadeau de Noël mais il a reçu à la place un train électrique... Je n'ai jamais vu un garçon piquer une pareille crise de rage...

— Les autres fois?

— Une autre fois, c'était une odeur de brûlé... La troisième... Attendez... Ah! oui... Elle avait écouté à la porte de Monsieur et elle n'avait pas entendu sa respiration... Elle m'a envoyé voir s'il ne lui était rien arrivé...

— Elle ne pouvait pas y aller elle-même?

— Je suppose qu'elle avait ses raisons... Remarquez que je ne me plains pas... Comme elle sort tous les après-midi et presque tous les soirs, il y a de longs moments de tranquillité...

— Vous vous entendez bien avec Lise?

— Pas trop mal... Elle est jolie fille... Pendant un certain temps... Enfin, vous comprenez ce que je veux dire... Elle a besoin de changer... Presque chaque samedi c'en est un autre... Alors, comme je n'aime pas partager...

— Mme Vauquin?

— Une vieille vache!

— Elle ne vous aime pas?

— Elle nous calcule les portions comme si nous étions des pensionnaires et elle est encore plus stricte pour le vin, sans doute parce que son mari est un ivrogne qui la rosse au moins deux fois par semaine... Du coup, elle en veut à tous les hommes...

— Mme Marchand?

— Je ne la vois guère que poussant son aspirateur... Cette femme-là n'est pas née pour parler mais pour remuer les lèvres quand elle est toute seule... Peut-être qu'elle récite des prières?...

— Mademoiselle?

— Elle n'est pas fière, ni chichiteuse... Dommage qu'elle soit toujours si triste.

— Vous croyez qu'elle a un chagrin d'amour?

— Je ne sais pas. C'est peut-être l'air de la maison...

— Vous avez entendu parler des lettres?

Il parut gêné.

— Autant vous dire la vérité... Oui... Mais je ne les ai pas lues...

— Qui vous en a parlé?

Plus gêné encore, il feignit de chercher dans sa mémoire.

— Je ne sais pas... Moi, je vais, je viens, je dis quelques mots à l'un, quelques mots à l'autre...

— Mlle Vague?

— Non. Elle ne parle jamais des affaires de Monsieur.

— M. Tortu?

— Celui-là me regarde comme s'il était un second patron.

— Julien Baud?

— Peut-être... Vrai, je ne sais plus... C'est peut-être à l'office...

— Vous savez s'il y a des armes dans la maison?

— Monsieur a un colt 38 dans le tiroir de sa table de nuit, mais je n'ai pas vu de cartouches dans la chambre...

— C'est vous qui faites sa chambre?

— C'est une partie de mes fonctions. Je sers à table aussi, bien entendu.

— Vous ne connaissez pas d'autre arme?

— Le petit jouet de madame, un 6.33 fabriqué

à Herstal... Il faudrait tirer à bout portant pour faire mal à quelqu'un...

— Avez-vous senti, ces derniers temps, un changement dans l'atmosphère de la maison?

Il eut l'air de chercher.

— C'est possible. A table, ils ne se parlent jamais beaucoup. Maintenant, je pourrais dire qu'ils ne se parlent plus du tout... Parfois seulement quelques phrases entre M. Gus et Mademoiselle...

— Vous croyez aux lettres?

— A peu près comme à l'astrologie... D'après les horoscopes du journal, je devrais, au moins une fois chaque semaine, recevoir une grosse somme d'argent...

— Vous ne pensez donc pas que quelque chose puisse se produire?

— Pas à cause des lettres.

— A cause de quoi?

— Je ne sais pas...

— M. Parendon vous paraît bizarre?

— Cela dépend de ce qu'on appelle bizarre... Chacun a son idée à lui sur la vie qu'il mène... S'il est content comme ça... En tout cas, il n'est pas fou... Je dirais même : au contraire...

— Ce serait elle qui serait folle?

— Non plus! Oh! la! la!... Cette femme-là est rusée comme un renard...

— Je vous remercie, Ferdinand...

— J'ai fait de mon mieux, Monsieur le Commissaire... J'ai appris qu'avec la police il vaut toujours mieux jouer franc jeu...

La porte se referma derrière Maigret qui descendit à pied le large escalier à rampe de fer forgé. Il adressa un signe de la main au concierge galonné comme un portier de palace et retrouva avec un soupir d'aise l'air frais du dehors.

Il se souvenait d'un bar sympathique, au coin de l'avenue Marigny et de la rue du Cirque, et il ne tarda pas à s'accouder au comptoir. Il chercha ce qu'il allait boire, finit par commander un demi. L'atmosphère des Parendon lui collait encore au corps. Mais n'en aurait-il pas été de même s'il avait passé autant de temps dans n'importe quelle famille?

Avec moins d'intensité, peut-être. Sans doute aurait-il trouvé les mêmes rancunes, les mêmes mesquineries, les mêmes craintes, en tout cas la même incohérence.

— Pas de philosophie, Maigret!

Ne s'interdisait-il pas, par principe, de penser? Bon! Il n'avait pas vu les deux enfants, ni la cuisinière, ni la femme de ménage. Il n'avait fait qu'apercevoir de loin la femme de chambre en uniforme noir, avec un petit tablier et un bonnet brodés.

Parce qu'il se trouvait au coin de la rue du Cirque, il se souvint du docteur Martin, le médecin personnel de Parendon.

— Je vous dois?

Il aperçut sa plaque devant l'immeuble, monta au troisième étage, fut introduit dans une salle d'attente où se trouvaient déjà trois personnes et, découragé, s'en alla.

— Vous n'attendez pas le docteur?

— Je ne suis pas venu pour une consultation... Je lui téléphonerai...

— Quel nom?

— Commissaire Maigret...

— Vous ne voulez pas que je le prévienne que vous êtes ici?

— Je préfère ne pas faire attendre davantage ses patients...

Il y avait l'autre Parendon, le frère, mais il était médecin aussi et Maigret connaissait assez, par son ami Pardon, la vie des médecins de Paris.

Il n'eut pas envie de prendre l'autobus, ni le métro. Il se sentait las, gonflé de fatigue, et il se laissa tomber sur la banquette d'un taxi.

— Quai des Orfèvres...

— Oui, Monsieur Maigret...

Cela ne lui faisait plus plaisir. Avant, il était assez fier d'être reconnu ainsi mais, depuis quelques années, il en était plutôt agacé.

De quoi aurait-il l'air, s'il ne se passait rien avenue Marigny? Il n'avait même pas osé parler des lettres au rapport. Depuis deux jours, il négligeait son bureau, passait le plus clair de son temps dans un appartement où des gens menaient une vie qui ne le regardait pas.

Il y avait des affaires en cours, pas de très importantes, heureusement, dont il ne devait pas moins s'occuper.

Etaient-ce les lettres, plus le coup de téléphone de midi, qui déformaient sa vision des gens? Il ne pouvait penser à Mme Parendon comme à une femme ordinaire qu'on rencontre dans la rue. Il la revoyait, pathétique dans tout le bleu de son boudoir et de son négligé, jouant devant lui une sorte de tragédie.

Parendon, lui aussi, cessait d'être un homme comme les autres. Le gnome le regardait de ses yeux clairs que grossissaient les verres épais des lunettes et Maigret essayait en vain d'y lire sa pensée.

Les autres... Mlle Vague... Ce grand diable

roux de Julien Baud... Tortu regardant soudain vers la porte où Mme Parendon apparaissait comme par miracle...

Il haussa les épaules et, comme la voiture s'arrêtait devant le portail de la P. J., il fouilla ses poches à la recherche de monnaie.

-:-

Une dizaine d'inspecteurs défilèrent dans son bureau, qui tous avaient un problème à lui soumettre. Il dépouilla le courrier arrivé en son absence, signa une pile de documents mais, tout le temps qu'il travailla ainsi, dans le calme doré de son bureau, la maison de l'avenue Marigny resta comme en arrière-plan.

Il ressentait un malaise qu'il ne parvenait pas à dissiper. Et pourtant, il avait fait jusqu'ici tout ce qui lui était possible. Aucun crime, aucun délit n'avait été commis. Personne n'avait appelé officiellement la police pour un fait précis. Il n'y avait aucune plainte déposée.

Il n'en avait pas moins consacré des heures à étudier le petit monde qui gravitait autour d'Emile Parendon.

Il cherchait en vain un précédent dans sa mémoire. Il avait pourtant connu les situations les plus diverses.

A cinq heures et quart, on lui apporta un pneumatique qui venait d'arriver et il reconnut tout de suite les caractères bâtonnets.

Le cachet indiquait que le pli avait été déposé à seize heures trente au bureau de poste de la rue de Miromesnil. C'est-à-dire un quart d'heure après son départ de chez les Parendon.

Il découpa la bande selon le pointillé. A cause

de la dimension de la feuille, les caractères étaient plus petits que dans les messages précédents et Maigret put se rendre compte, en les comparant, que celui-ci avait été écrit plus vite, avec moins de soin, peut-être dans une sorte de fièvre.

« *Monsieur le Divisionnaire,*

« *Lorsque je vous ai écrit ma première lettre et que je vous ai demandé de me répondre par le truchement d'une petite annonce, je ne pouvais m'imaginer que vous fonceriez, tête baissée, dans cette affaire sur laquelle je comptais, par la suite, vous donner des précisions indispensables.*

« *Votre précipitation a tout gâché et maintenant vous devez vous rendre compte vous-même que vous pataugez. Aujourd'hui, vous avez en quelque sorte provoqué le meurtrier et je suis persuadé qu'à cause de vous il va se sentir obligé de frapper.*

« *Je me trompe peut-être, mais je crois que ce sera dans les prochaines heures. Je ne peux plus vous aider. Je le regrette. Je ne vous en veux pas.* »

Maigret lut et relut ce billet d'un air grave, se dirigea vers la porte pour appeler Janvier et Lapointe. Lucas était absent.

— Lisez ceci, les enfants...

Il les observait avec une certaine anxiété, comme pour se rendre compte si leurs réactions seraient les mêmes que les siennes. Ils n'avaient pas été intoxiqués, eux, par les heures passées dans l'appartement. Ils jugeaient en quelque sorte sur pièces.

Penchés ensemble sur la feuille, ils marquaient un intérêt grandissant, devenaient soucieux.

— On dirait que cela se précise, murmura Janvier en posant le pneumatique sur le bureau.

Quant à Lapointe, il demanda :

— A quoi ressemblent ces gens-là?

— A tout le monde et à personne... Ce que je me demande, c'est ce que nous pouvons faire... Je ne peux pas laisser un homme en permanence dans l'appartement, et d'ailleurs cela ne servirait à rien... Les locaux sont tellement vastes qu'il peut se passer n'importe quoi à un bout sans qu'on s'en aperçoive à l'autre bout... Poster quelqu'un dans l'immeuble?... Je vais le faire cette nuit, par acquit de conscience, mais si ces messages ne sont pas une plaisanterie, le coup ne viendra pas du dehors...

« Tu es libre, Lapointe? »

— Je n'ai rien à faire de spécial, patron.

— Alors, tu te rendras là-bas. Dans la loge, tu trouveras le concierge, un certain Lamure, qui a travaillé jadis rue des Saussaies. Tu passeras la nuit dans la pièce, en grimpant de temps en temps au premier étage. Fais-toi remettre par Lamure une liste des habitants de l'immeuble, personnel compris, et pointe les entrées et sorties...

— Je comprends.

— Qu'est-ce que tu comprends?

— Que, de la sorte, s'il se produit quelque chose, nous aurons au moins une base...

C'était vrai, mais le commissaire répugnait à envisager la situation sous ce jour. S'il se produisait quelque chose... Bon! Comme il n'était pas question de vol, il ne pouvait s'agir que d'un meurtre... Le meurtre de qui?... Par qui?...

Des êtres lui avaient parlé, avaient répondu à ses questions, avaient semblé se confesser. Etait-ce à lui de juger, sacrebleu, qui mentait ou qui disait la vérité, ou encore si quelqu'un, dans toute cette histoire, était dingue?

Il arpentait son bureau à grands pas presque rageurs et parlait comme pour lui-même tandis que Lapointe et Janvier échangeaient des coups d'œil.

— C'est bien simple, Monsieur le Commissaire... On vous écrit pour vous dire qu'on va tuer... Seulement, on ne peut pas annoncer d'avance qui tuera l'autre, ni quand, ni comment... Pourquoi on s'adresse à vous?... Pourquoi vous avertir?... Pour rien... Pour jouer...

Il saisissait une pipe qu'il bourrait à nerveux coups d'index.

— Pour qui me prend-on, à la fin?... S'il se passe quelque chose, comme ils disent, on prétendra que c'est ma faute... Ce chiffon bleu pâle le prétend déjà... Il paraît que je suis allé trop vite en besogne... Que fallait-il faire?...

« Attendre de recevoir un faire-part?... Bon! Et, s'il ne se passe rien, j'ai l'air d'une andouille, je suis le monsieur qui a gaspillé pendant deux jours l'argent des contribuables... »

Janvier gardait son sérieux mais Lapointe ne put s'empêcher de sourire et Maigret s'en aperçut. Sa colère resta un instant en suspens et il finit par sourire à son tour en tapotant l'épaule de son collaborateur.

— Je m'excuse, mes enfants. Cette affaire finit par m'exaspérer. Là-bas, tout le monde marche sur la pointe des pieds et je me suis mis à marcher sur la pointe des pieds aussi, à marcher comme sur des œufs...

Cette fois, à l'image de Maigret marchant sur des œufs, Janvier fut obligé de rire aussi.

— Ici, au moins, je peux éclater... C'est fait... Parlons sérieusement... Toi, Lapointe, tu peux partir, manger quelque chose et aller prendre ton poste avenue Marigny... S'il se passe quoi que ce soit de louche, n'hésite pas à me téléphoner. même en pleine nuit, boulevard Richard-Lenoir...

« Bonne nuit, vieux... A demain... On te relaiera vers huit heures du matin... »

Il alla se camper devant la fenêtre et, le regard suivant le fil de la Seine, poursuivit, à l'intention de Janvier :

— Tu enquêtes en ce moment?

— J'ai arrêté les deux petits gars ce matin, deux gosses de seize ans... Vous aviez raison...

— Veux-tu, demain, aller prendre la place de Lapointe?... Cela a l'air idiot, je le sais, et c'est bien pourquoi j'enrage, mais je me sens obligé de prendre ces précautions qui ne servent de toute façon à rien...

« Tu verras que, s'il arrive quelque chose, tout le monde se déchaînera contre moi... »

Tandis qu'il prononçait la dernière phrase, son regard s'était fixé sur un des candélabres du pont Saint-Michel.

— Passe-moi le pneumatique...

Un mot lui revenait, auquel il n'avait pas pris garde tout à l'heure, et il se demandait si sa mémoire ne le trompait pas.

... « *je suis persuadé qu'à cause de vous il va se sentir obligé de frapper...* »

Le mot *frapper* y était bien. Evidemment, cela pouvait signifier frapper un grand coup. Mais, dans les trois billets, le correspondant anonyme montrait une certaine méticulosité dans le choix des mots.

— Frapper, tu entends? L'homme et la femme ont chacun un pétard. J'allais justement leur faire demander de nous les remettre, un peu comme on retire des allumettes aux enfants. Mais je ne peux pas leur enlever tous les couteaux de cuisine et tous les coupe-papier... On frappe avec des chenêts aussi, et comme ce ne sont pas les cheminées qui manquent... Ni les bougeoirs... Ni les statues...

Changeant soudain de ton, il prononça :

— Essaie donc de m'avoir Germain Parendon au bout du fil... C'est un neurologue qui habite rue d'Aguesseau, le frère de mon Parendon...

Il en profita pour rallumer sa pipe. Assis sur le coin du bureau, Janvier maniait l'appareil.

— Allô!... Je suis bien chez le docteur Parendon?... Ici, la P.J., Mademoiselle... Le bureau du commissaire Maigret... Le commissaire désirerait vivement dire quelques mots au docteur... Comment?... A Nice?... Oui... Un instant...

Car Maigret lui adressait des signes.

— Demande-lui où il est descendu...

— Vous êtes toujours à l'appareil? Pourriez-vous me dire où le docteur est descendu?... Au Negresco?... Je vous remercie... Oui, je m'en doute... Je vais essayer quand même...

— En consultation?

— Non! Congrès de neurologie infantile. Il paraît que le programme est fort chargé et que, demain le docteur doit présenter un rapport...

— Appelle le Negresco... Il est six heures... La séance de travail doit être terminée... A huit heures, ils ont sûrement un grand dîner quelque part, à la Préfecture ou ailleurs... S'il n'est pas à un cocktail quelconque...

Ils durent attendre une dizaine de minutes, car le Negresco était toujours occupé.

— Allô!... Ici la Police Judiciaire de Paris, Mademoiselle... Voulez-vous me passer le docteur Parendon, s'il vous plaît... Parendon, oui... C'est un des congressistes...

Janvier posa la main sur l'appareil.

— Elle va voir s'il est dans sa chambre ou au cocktail qui a lieu en ce moment dans le grand salon de l'entresol...

— Allô!... Oui, Docteur... Excusez-moi... Je vous passe le commissaire Maigret...

Celui-ci prit gauchement l'appareil car, au dernier moment, il ne savait plus que dire.

— Excusez-moi de vous déranger, Docteur...

— J'allais revoir une dernière fois mon rapport...

— C'est ce que j'ai pensé... Hier et aujourd'hui, j'ai passé d'assez longs moments avec votre frère...

— Comment cela se fait-il que vous vous soyez rencontrés?

La voix était gaie, sympathique, beaucoup plus jeune que Maigret ne l'avait pensé.

— C'est une histoire assez compliquée et c'est pourquoi je me suis permis de vous appeler...

— Mon frère a des ennuis?

— En tout cas pas de ceux qui nous regardent...

— Il est souffrant?

— Que pensez-vous de sa santé?

— Il paraît beaucoup plus frêle et plus fragile qu'il ne l'est réellement. Je serais incapable de résister à tout le travail qu'il lui arrive d'abattre en quelques jours...

Il fallait bien aller jusqu'au bout.

— Je vais vous expliquer aussi brièvement que possible la situation. Hier matin, j'ai reçu une lettre anonyme m'annonçant qu'un crime allait probablement être commis...

— Chez Emile?

La voix était rieuse.

— Non. Ce serait trop long de vous raconter comment nous sommes arrivés jusqu'à l'appartement de votre frère. Toujours est-il que la lettre et la suivante sont bien parties de chez lui, écrites toutes les deux sur son papier à lettres dont on avait pris soin de couper l'en-tête...

— Je suppose que mon frère vous a rassuré?... C'est une blague de Gus, non?...

— Autant que j'en sache, votre neveu n'est pas habitué à faire des farces...

— C'est exact... Bambi non plus, d'ailleurs... Je ne sais pas, moi... Peut-être le jeune Suisse qu'il a engagé comme garçon de bureau?... Ou une femme de chambre?...

— Je viens de recevoir un troisième message, cette fois par pneumatique... Il m'annonce que l'événement est proche...

Le ton du médecin avait changé.

— Vous y croyez, vous?

— Je ne connais la maison que depuis hier...

— Qu'est-ce qu'Emile en dit? Je suppose qu'il hausse les épaules?

— Il ne prend pas la chose aussi à la légère que ça, justement. J'ai l'impression, au contraire, qu'il croit à une menace réelle...

— Contre qui?

— Peut-être contre lui...

— Qui aurait l'idée de s'en prendre à lui? Et pourquoi? A part sa passion pour la révision de l'article 64, c'est l'être le plus inoffensif et le plus aimable du monde...

— Il m'a fort séduit... Vous venez de parler de passion, Docteur... Est-ce que, en tant que neurologue, vous iriez jusqu'à dire manie?...

— Dans le sens médical du terme, certainement pas...

Il était devenu plus sec, car il avait compris l'arrière-pensée du commissaire.

— En somme, vous me demandez si je considère mon frère comme sain d'esprit...

— Je n'allais pas jusque-là...

— Vous faites garder la maison?

— J'y ai déjà envoyé un de mes inspecteurs...

— Ces derniers temps, mon frère n'a pas eu à traiter avec des gens plus ou moins douteux?... Il ne s'est pas heurté à de trop gros intérêts?...

— Il ne m'a pas parlé de ses affaires mais je sais que, cet après-midi encore, il avait un armateur grec et un armateur hollandais dans son bureau...

— Il en vient même du Japon... Il ne nous reste qu'à espérer que c'est bien une plaisanterie... Vous n'aviez pas d'autres questions à me poser?...

Il était obligé d'improviser tandis qu'à l'autre bout du fil le neurologue avait sans doute sous les yeux la Promenade des Anglais et les eaux bleues de la Baie des Anges.

— Que pensez-vous de l'équilibre de votre belle-sœur?

— Entre nous, et je ne le répéterais naturellement pas à la barre des témoins, si toutes les femmes étaient comme elle, je serais resté célibataire...

— J'ai dit équilibre...

— J'ai bien compris... Mettons qu'elle soit excessive en tout... Et admettons, pour être justes, qu'elle est la première à en souffrir...

— Est-ce la femme à avoir des idées fixes?

— Certainement, à condition que ces idées partent de faits précis et soient plausibles... Je puis vous affirmer que si elle vous a menti, son mensonge a été si parfait que vous ne vous en êtes pas aperçu...

— Employeriez-vous le mot hystérie?

Il y eut un assez long silence.

— Je n'oserais pas aller jusque-là, bien que je l'aie vue dans des états qu'on peut qualifier d'hystériques... Elle a beau être hypernerveuse, voyez-vous, elle trouve, par je ne sais quel miracle, la force de se contrôler...

— Vous savez qu'elle a une arme dans sa chambre?

— Elle m'en a parlé un soir... Elle me l'a même montrée... C'est plutôt un jouet...

— Un jouet qui peut tuer... Le lui laisseriez-vous dans son tiroir?...

— Vous savez, si l'idée lui venait de tuer, elle y parviendrait dans tous les cas, avec ou sans arme à feu...

— Votre frère est armé aussi...

— Je sais..

— Vous diriez la même chose?

— Non... Je suis persuadé, non seulement comme homme, mais comme médecin, que mon frère ne tuera jamais... La seule chose qui pourrait lui arriver, un soir de découragement, ce serait de mettre fin à ses jours...

La voix venait de se casser.

— Vous l'aimez beaucoup, n'est-ce pas?

— Nous sommes deux...

Le mot frappa Maigret. Ils avaient encore leur père et Germain Parendon aussi était marié. Or, il disait :

— Nous sommes deux...

Comme si chacun n'avait que l'autre au monde. Est-ce que le mariage du frère était aussi un mariage raté?

Parendon, là-bas, se secouait, regardait peut-être l'heure.

— Allons! Espérons qu'il ne se passera rien. Bonsoir, Monsieur Maigret...

— Bonsoir, Monsieur Parendon...

Le commissaire avait téléphoné pour se rassurer. Or, c'est tout le contraire qui s'était produit. Il se sentait plus inquiet après avoir parlé au frère de l'avocat.

— ... *La seule chose qui pourrait lui arriver, un soir de découragement...*

Et si c'était justement ça qui se préparait? Si c'était Parendon lui-même qui avait écrit les lettres anonymes? Pour s'empêcher d'agir? Pour mettre une sorte de barrière entre l'impulsion et l'acte qui le tentait?

Maigret en oubliait Janvier qui avait pris place près de la fenêtre.

— Tu as entendu?...

— Ce que vous avez dit, oui...

— Il n'aime pas sa belle-sœur... Il est persuadé que son frère ne tuera jamais personne, mais il est moins certain qu'il ne soit pas tenté un jour de se suicider...

Le soleil avait disparu et c'était soudain comme s'il manquait quelque chose au monde. Ce n'était pas encore la nuit. Il était inutile d'allumer les lampes. Le commissaire le fit pourtant, comme pour chasser les fantômes.

— Demain, tu verras la maison et tu comprendras mieux... Rien ne t'empêche de sonner, de dire à Ferdinand qui tu es et de te balader dans l'appartement et dans les bureaux... Ils sont prévenus... Ils s'y attendent...

« Tout ce que tu risques, c'est de voir Mme Parendon surgir devant toi au moment où tu t'y attends le moins... A croire qu'elle peut circuler sans déplacer d'air... Alors, elle te regardera et tu te sentiras vaguement coupable... C'est l'impression qu'elle fait à tout le monde... »

Maigret appelait le garçon de bureau pour lui remettre les pièces signées et le courrier à expédier.

— Rien de nouveau? Personne pour moi?

— Personne, Monsieur le Divisionnaire...

Maigret ne s'attendait pas à des visites. Cela le frappa néanmoins que ni Gus ni sa sœur ne se soient à aucun moment manifestés. Ils devaient être au courant, comme le reste de la maisonnée, de ce qui se passait depuis la veille. Ils avaient certainement entendu parler des interrogatoires de Maigret. Peut-être même l'avaient-ils aperçu à un tournant du couloir?

Si, à quinze ans, Maigret avait entendu dire que...

Il aurait couru questionner le commissaire avec véhémence, bien entendu, quitte à se faire remettre à sa place.

Il se rendait compte que du temps avait passé, qu'il s'agissait d'un autre monde.

— On prend un verre à la brasserie Dauphine et on rentre dîner chacun chez soi?

C'est ce qu'ils firent. Maigret marcha un bon bout de chemin avant de prendre un taxi et, quand sa femme ouvrit la porte en entendant son pas, il n'avait pas le visage trop soucieux.

— Qu'est-ce qu'il y a à manger?

— Le déjeuner réchauffé...

— Et qu'est-ce qu'il y avait à déjeuner?

— Du cassoulet...

Ils souriaient tous les deux, mais elle n'en avait pas moins deviné son état d'âme.

— Ne te tracasse pas, Maigret...

Il ne lui avait rien dit de l'affaire qui l'occupait. Toutes les affaires, en somme, n'étaient-elles pas les mêmes?

— Ce n'est pas toi qui es responsable...

Après un moment, elle ajouta :

— A cette saison, la fraîcheur tombe tout d'un coup... Je ferais mieux de fermer la fenêtre...

CHAPITRE V

SON PREMIER CONTACT avec la vie fut d'abord, comme les autres matins, l'odeur du café, puis la main de sa femme qui lui touchait l'épaule, enfin la vue de Mme Maigret, déjà fraîche et alerte dans une robe d'intérieur à fleurs, qui lui tendait la tasse.

Il se frotta les yeux et demanda assez stupidement :

— Il n'y a pas eu de coups de téléphone?

S'il y en avait eu, il aurait été réveillé en même temps qu'elle. Les rideaux étaient ouverts. Le printemps, tout précoce qu'il fût, se maintenait. Le soleil était levé et les bruits de la rue se détachaient avec netteté.

Il poussa un soupir de soulagement. Lapointe ne l'avait pas appelé. Donc, il ne s'était rien passé avenue Marigny. Il but la moitié de sa tasse, se leva, guilleret, et passa dans la salle de bains. Il s'était inquiété à tort. Il aurait dû, dès l'arrivée du premier billet, se rendre compte que ce n'était pas sérieux. Il avait un peu honte, ce matin, de s'être laissé impressionner comme un enfant qui croit encore aux histoires de fantômes.

— Tu as bien dormi?

— Magnifiquement.

— Tu crois que tu rentreras déjeuner?

— Ce matin, j'ai l'impression que oui.

— Tu aimerais du poisson?

— De la raie au beurre noir, si tu en trouves.

Il fut surpris, gêné, une demi-heure plus tard, en poussant la porte de son bureau, d'y trouver Lapointe dans un fauteuil. Le pauvre garçon était un peu pâle, somnolent. Plutôt que de lui laisser un rapport et d'aller se coucher, il avait préféré l'attendre, sans doute parce que, la veille, le commissaire avait montré tant d'inquiétude.

— Alors, mon petit Lapointe?

L'inspecteur s'était levé tandis que Maigret s'asseyait devant le tas de courrier posé sur son bureau.

— Un instant, veux-tu?...

Il voulait d'abord s'assurer qu'il n'y avait pas de nouvelle lettre anonyme.

— Bon! Raconte...

— Je suis arrivé là-bas un peu avant six heures du soir et j'ai pris contact avec Lamure, le concierge, qui a insisté pour que je dîne avec sa femme et lui. Le premier à pénétrer dans l'immeuble après moi, à six heures dix, a été le jeune Parendon, celui qu'ils appellent Gus...

Lapointe tirait un carnet de sa poche afin de se référer à ses notes.

— Il était seul?

— Oui... Il tenait quelques livres de classe

sous le bras... Ensuite, quelques minutes plus tard, un homme aux allures efféminées, une sacoche de cuir à la main... Lamure m'a appris que c'était le coiffeur de la Péruvienne...

« — Il doit y avoir un gala ou une grande soirée quelque part... m'a-t-il annoncé tranquillement en vidant son verre de gros rouge.

« Entre parenthèses, il en a séché une bouteille à lui seul et il était surpris, un peu vexé, que je n'en fasse pas autant...

« Voyons... A sept heures quarante-cinq, une femme est arrivée dans une voiture conduite par un chauffeur, Mme Hortense, comme l'appelle le concierge.

« C'est une des sœurs de Mme Parendon, celle qui sort le plus souvent avec elle. Elle a épousé un M. Benoît-Biguet, un homme riche et important, et leur chauffeur est espagnol... »

Lapointe sourit.

— Je m'excuse de vous donner ces détails sans intérêt mais, comme je n'avais rien à faire, j'ai tout noté... A huit heures et demie, la limousine des Péruviens s'est arrêtée sous la voûte et le couple est sorti de l'ascenseur, lui en habit, elle en robe de grand soir sous une étole de chinchilla... Ce sont des choses qu'on ne voit plus souvent...

« A neuf heures moins cinq, sortie de Mme Parendon et de Mme Hortense... J'ai appris ensuite où elles étaient allées... Les chauffeurs ont l'habitude, en rentrant, de venir boire un coup dans la loge avec Lamure, qui a toujours un litre de rouge à portée de la main...

« Il y avait un bridge de charité au Crillon et c'est là qu'elles se sont rendues. Elles sont rentrées un peu après minuit... La sœur est montée et est restée une demi-heure en haut... C'est alors que le chauffeur est venu boire son verre...

« Personne ne faisait attention à moi... J'avais l'air d'un copain sans importance... Le plus difficile, c'était de ne pas vider les verres qu'on me tendait...

« Mlle Parendon, elle, qu'ils appellent Bambi, est rentrée vers une heure du matin... »

— A quelle heure était-elle sortie?

— Je ne sais pas. Je ne l'ai pas vu partir. Cela signifie qu'elle n'a pas mangé avenue Marigny... elle était accompagnée d'un jeune homme qu'elle a embrassé au pied de l'escalier... Elle ne se gênait pas pour nous...

« J'ai demandé à Lamure si c'était son habitude... Il m'a répondu que oui et que c'était toujours le même jeune homme, mais qu'il ne savait pas d'où il sortait... Il portait un blouson, des mocassins avachis et ses cheveux étaient plutôt longs... »

Lapointe avait l'air de réciter, tout en luttant contre le sommeil, les yeux sur son carnet.

— Tu ne m'as pas parlé du départ de Mlle Vague, de Tortu et de Julien Baud...

— Je ne l'ai pas noté, en effet, parce que j'ai supposé que cela faisait partie de la routine. Ils sont descendus, par l'escalier, à six heures, et se sont séparés sur le trottoir...

— Ensuite?

— Je suis monté deux ou trois fois jusqu'au quatrième étage mais je n'ai rien vu ni entendu. J'aurais aussi bien pu errer la nuit dans une église.

« Les Péruviens sont rentrés vers trois heures du matin après avoir soupé chez Maxim's. Ils avaient assisté auparavant à une grande première de cinéma, aux Champs-Elysées... Il paraît que ce sont des personnalités bien parisiennes...

« C'est tout pour la nuit... Pas un chat, c'est le cas de le dire, car il n'y a pas un animal dans la maison, en dehors du perroquet des Péruviens...

« Vous ai-je dit que Ferdinand, le maître d'hôtel des Parendon, était allé se coucher aux environs de dix heures? Que la cuisinière est partie à neuf heures du soir?

« C'est Ferdinand, le matin, qui s'est montré le premier dans la cour, à sept heures. Il est sorti de l'immeuble car il a l'habitude d'aller au bar du coin de la rue du Cirque boire son premier café et manger des croissants frais... Il est resté absent une demi-heure... Pendant ce temps-là, la cuisinière est arrivée, ainsi que la femme de ménage, Mme Marchand...

« Le chauffeur est descendu de sa chambre, près de celle de Ferdinand, au-dessus des garages, et est monté pour prendre son petit déjeuner...

« Je n'inscrivais pas tout immédiatement. C'est pourquoi il y a un certain désordre dans mes notes. Au cours de la nuit, je suis allé une dizaine de fois coller l'oreille à la porte des Parendon et je n'ai rien entendu...

« Le chauffeur des Péruviens a sorti la Rolls de ses patrons pour la laver comme il le fait chaque matin... »

Lapointe remit son calepin dans sa poche.

— C'est tout, patron. Janvier est arrivé. Je l'ai présenté à Lamure, qui, paraît-il, le connaissait déjà, et je suis parti...

— Maintenant, va vite te coucher, mon petit...

Dans quelques minutes, la sonnerie du rapport allait retentir dans les couloirs. Maigret bourra une pipe, saisit son coupe-papier et parcourut rapidement le courrier.

Il était soulagé. Il avait toutes les raisons de l'être. Pourtant, il lui restait un poids sur l'estomac, une vague appréhension.

Chez le directeur, il fut surtout question du fils d'un ministre qui, à quatre heures du matin, avait eu un accident d'automobile, au coin de la rue François-Ier, dans des conditions déplaisantes. Non seulement il était ivre, mais on ne pouvait guère, sans provoquer un scandale, révéler le nom de la jeune fille qui l'accompagnait et qu'on avait dû transporter à l'hôpital. Quant à l'occupant de la voiture tamponnée, il était mort sur le coup.

— Qu'est-ce que vous en pensez, vous, Maigret?

— Moi? Rien, Monsieur le Directeur...

Quand il s'agissait de politique, ou de quoi que ce soit touchant à la politique, Maigret n'existait plus. Il avait l'art, alors, de prendre un air vague, presque stupide.

— Il faut pourtant trouver une solution... Les journaux ne savent encore rien mais, dans une heure ou deux, ils seront au courant...

Il était dix heures. Le téléphone sonna sur le bureau du grand patron qui décrocha nerveusement.

— Oui, il est ici...

Et tendant le combiné à Maigret :

— C'est pour vous...

Il eut un pressentiment. Il sut, avant de porter l'écouteur à son oreille, que quelque chose s'était passé avenue Marigny et ce fut en effet la voix de

Janvier qu'il entendit au bout du fil. Elle était basse, comme gênée.

— C'est vous, patron?

— C'est moi, oui... Alors, qui?

Janvier comprit tout de suite le sens de la question.

— La jeune secrétaire...

— Morte?

— Hélas.

— Un coup de feu?

— Non... Cela s'est passé sans bruit... Personne ne s'est aperçu de rien... Le médecin n'est pas encore arrivé... Je vous appelle avant d'avoir des détails car j'étais en bas... M. Parendon est à côté de moi, effondré... Nous attendons le docteur Martin d'une minute à l'autre...

— Poignardée?

— Plutôt égorgée...

— Je viens...

Le directeur et ses collègues le regardaient, surpris de le voir aussi pâle, aussi ému. Quai des Orfèvres, surtout à la Criminelle, ne travaille-t-on pas dans le meurtre quotidiennement?

— Qui est-ce? questionna le directeur.

— La secrétaire de Parendon.

— Le neurologue?

— Non. Son frère, l'avocat... J'avais reçu des lettres anonymes...

Il fonçait vers la porte sans s'expliquer davantage, marchait droit vers le bureau des inspecteurs.

— Lucas?...

— Ici, patron...

Il chercha autour de lui.

— Toi, Torrence... Bon... Venez tous les deux dans mon bureau...

Lucas, qui était au courant des lettres, demanda :

— Le meurtre a eu lieu?

— Oui...

— Parendon?

— La secrétaire... Téléphone à Moers de se rendre là-bas avec ses techniciens... J'appelle le Parquet...

C'était toujours la même comédie. Pendant une bonne heure, au lieu de travailler en paix, il allait devoir fournir des explications au substitut et au juge d'instruction qui serait désigné.

— En route, mes enfants...

Il était accablé, comme s'il s'agissait de quelqu'un de sa famille. De toute la maisonnée, c'était à Mlle Vague qu'il aurait pensé en dernier comme victime.

Il s'était pris de sympathie pour elle. Il aimait la façon à la fois crâne et simple dont elle avait parlé de ses relations avec son patron. Il avait senti qu'au fond d'elle-même, malgré la différence d'âge, elle éprouvait pour lui une fidélité passionnée qui constitue peut-être une des formes les plus vraies de l'amour.

Pourquoi donc était-ce elle qu'on avait tuée?

Il s'enfonçait dans la petite voiture noire tandis que Lucas se mettait au volant et que le gros Torrence s'installait derrière.

— De quoi s'agit-il? questionnait-il comme on démarrait.

— Tu le verras bien, répliqua Lucas qui comprenait l'état d'esprit de Maigret.

Celui-ci ne voyait pas les rues, les passants, les arbres qui verdissaient de jour en jour, les gros autobus qui les frôlaient dangereusement.

Il était déjà là-bas. Il imaginait le petit bureau

de Mlle Vague, où il était assis près de la fenêtre, la veille à la même heure. Elle le regardait bien en face, comme pour lui offrir la sincérité de son regard. Et, quand elle hésitait après une question, c'est qu'elle cherchait les mots précis.

Il y avait déjà une voiture devant la porte, celle du commissaire du quartier, que Janvier avait dû alerter. Car, quoi qu'il arrive, il faut suivre les règles administratives.

Un Lamure funèbre se tenait sur le seuil de sa loge de grand luxe.

— Qui aurait cru... commença-t-il.

Maigret passa devant lui sans répondre et, l'ascenseur étant à un des étages, s'élança dans l'escalier. Janvier l'attendait sur le palier. Il ne dit rien. Lui aussi devinait l'état d'esprit du patron. Maigret ne s'aperçut pas que Ferdinand, au poste comme si de rien n'était, lui prenait son chapeau.

Il fonça dans le couloir, dépassa la porte du bureau de Parendon, arriva devant celle, ouverte, de Mlle Vague. Il ne vit tout d'abord que deux hommes, le commissaire du quartier, un nommé Lambilliote, qu'il avait souvent rencontré, et un de ses collaborateurs.

Il dut regarder par terre, presque sous la table Louis XIII qui servait de bureau.

Elle portait une robe printanière vert amande, pour la première fois de la saison sans doute, car la veille et l'avant-veille il l'avait vue avec une jupe bleu marine et un chemisier blanc. Il avait fait la réflexion que cela devait être, pour elle, une sorte d'uniforme.

Après le coup, elle avait dû glisser de sa chaise et son corps était replié sur lui-même, étrangement tordu. La gorge était ouverte et elle avait perdu une quantité considérable de sang qui devait être encore tiède.

Il fut un certain temps à se rendre compte que Lambilliote lui serrait la main.

— Vous la connaissiez?

Il le regardait, stupéfait de voir Maigret aussi ému devant un corps.

— Je la connaissais, oui... disait-il d'une voix rauque.

Et il se précipitait dans le bureau du fond où un Julien Baud aux yeux rouges se dressa devant lui. Son haleine sentait l'alcool. Il y avait une bouteille de cognac sur la table. Dans son coin, René Tortu se tenait le front à deux mains.

— C'est toi qui l'as trouvée?

Le « tu » lui venait naturellement car le grand Vaudois avait tout à coup l'air d'un gosse.

— Oui, monsieur...

— Tu avais entendu quelque chose?... Elle a crié?... Elle a gémi?...

— Même pas...

Il avait de la peine à parler. Sa gorge restait nouée et des larmes coulaient de ses yeux bleus.

— Excusez-moi... C'est la première fois...

On aurait dit qu'il avait attendu ce moment-là pour se mettre à sangloter et il tira son mouchoir de sa poche.

— Je... Un instant... Pardon...

Il pleurait tout son saoul, debout au milieu de la pièce, paraissant plus grand que son mètre quatre-vingts. Il y eut un petit bruit sec. C'était le tuyau de la pipe de Maigret qui éclatait sous la pression de la mâchoire. Le fourneau tomba par terre et il se baissa pour le ramasser, le fourra dans sa poche.

— Je vous demande pardon... C'est plus fort que moi...

Il reprenait son souffle, s'essuyait les yeux, jetait un coup d'œil à la bouteille de cognac mais n'osait plus y toucher.

— Elle est venue ici vers neuf heures dix pour m'apporter des documents à collationner... Au fait, je ne sais plus où je les ai mis... C'est le procès-verbal de la séance d'hier, avec des notes, des références... J'ai dû les laisser dans son bureau... Non... Tenez! Ils sont sur ma table...

Froissés par une main crispée.

— Elle m'avait demandé de les lui retourner dès que j'aurais terminé... J'y suis allé...

— A quelle heure?

— Je ne sais pas... J'ai dû travailler environ trente minutes... J'étais tout gai, tout content... J'aime bien travailler pour elle... Je regarde... Je ne la vois pas... Puis, en baissant les yeux...

Ce fut Maigret qui lui versa un peu de cognac dans le verre que Ferdinand avait dû apporter.

— Elle respirait encore?

Il fit non de la tête.

— Le Parquet, patron...

— Vous n'avez rien entendu non plus, Monsieur Tortu?

— Rien...

— Vous êtes resté ici tout le temps?

— Non... Je suis allé voir M. Parendon, avec qui j'ai eu un entretien d'une dizaine de minutes au sujet de l'affaire dont je me suis occupé hier au Palais...

— Quelle heure était-il?

— Je n'ai pas regardé ma montre... Environ neuf heures et demie...

— Comment était-il?

— Comme d'habitude...

— Seul?

— Mlle Vague était avec lui...

— Elle est sortie dès votre arrivée?

— Quelques instants plus tard...

Maigret aurait volontiers avalé une gorgée de cognac, lui aussi, mais il n'osa pas.

Les formalités l'attendaient. Cela le faisait grogner, mais, au fond, ce n'était pas une mauvaise chose car cela l'obligeait à sortir de son cauchemar.

Le Parquet avait désigné le juge Daumas, avec qui il avait plusieurs fois travaillé, un homme sympathique, un peu timide, dont le seul défaut était la minutie. Il devait avoir une quarantaine d'années; il était flanqué du substitut De Claes, un grand blond, très maigre, tiré à quatre épingles, qui tenait toujours, été comme hiver, une paire de gants clairs à la main.

— Qu'est-ce que vous en pensez, Maigret? On me dit que vous aviez un inspecteur dans l'immeuble? Vous vous attendiez à un drame?

Maigret haussa les épaules, fit un geste vague.

— Ce serait si long à vous expliquer... Hier et avant-hier, à la suite de messages anonymes, j'ai passé pratiquement tout mon temps dans cette maison.

— Les messages désignaient la victime?

— Non, justement. C'est bien pourquoi le meurtre était impossible à éviter. Il aurait fallu mettre un policier derrière chacun des habitants, les suivre pas à pas à travers l'appartement.

Lapointe a passé la nuit en bas... Ce matin, Janvier est venu le remplacer...

Celui-ci se tenait dans un coin, tête basse. On entendait, dans la cour, le jet avec lequel le chauffeur des Péruviens lavait la Rolls.

— Au fait, Janvier, qui t'a averti?...

— Ferdinand... Il savait que j'étais en bas... Je lui avais parlé...

On entendait des pas lourds dans le couloir. C'étaient les spécialistes qui arrivaient à leur tour avec leurs appareils. Un petit homme tout rond était curieusement mêlé à leur troupe et il regarda les personnages réunis dans la pièce en se demandant à qui s'adresser.

— Docteur Martin... finit-il par murmurer. Je m'excuse d'arriver si tard, mais j'avais une cliente dans mon cabinet et, le temps qu'elle se rhabille...

Il vit le corps, ouvrit sa trousse, s'agenouilla sur le parquet. Il était le moins ému de tous.

— Elle est morte, bien entendu.

— Sur le coup?

— Elle a dû survivre quelques secondes, mettons trente ou quarante secondes et, la gorge ouverte, elle n'avait aucune possibilité de crier...

Il désignait un objet que la table cachait en partie, le grattoir à la fois aigu et très coupant que Maigret avait remarqué la veille. Il était maintenant englué dans la plaque de sang épais.

Le commissaire, malgré lui, regardait le visage de la jeune fille, ses lunettes de travers, ses yeux bleus et fixes.

— Vous ne voudriez pas lui fermer les yeux, Docteur?

Cela ne lui était pas arrivé souvent, sauf à ses débuts, d'être ainsi secoué en face d'un cadavre.

Comme le médecin allait obéir, Moers le tira par la manche.

— Les photos... lui rappela-t-il.

— C'est vrai... Non... Ne faites rien...

C'était à lui de ne plus regarder. Il fallait encore attendre le médecin légiste. Le docteur Martin, très vif malgré son embonpoint, demandait :

— Je peux aller, Messieurs?

Puis, les regardant tout à tour, il finissait par s'adresser à Maigret.

— Vous êtes bien le commissaire Maigret?... Je me demande si je ne devrais pas aller voir M. Parendon... Vous savez où il est?

— Dans son bureau, je suppose...

— Il est au courant?... Il a vu?...

— Probablement...

En réalité, personne ne savait rien de précis. Il y avait de l'incohérence dans l'air. Un photographe installait un énorme appareil sur un trépied tandis qu'un homme à cheveux gris prenait des mesures sur le plancher et que le greffier du juge d'instruction griffonnait dans un carnet.

Lucas et Torrence, qui n'avaient pas encore reçu d'instructions, se tenaient dans le couloir.

— Que pensez-vous que je doive faire?

— Allez le voir si vous croyez qu'il puisse avoir besoin de vous...

Le docteur Martin arrivait à la porte quand Maigret le rappela :

— J'aurai sans doute des questions à vous poser dans le courant de la journée... Vous serez chez vous?...

— Sauf de onze heures à treize heures... J'ai ma consultation à l'hôpital...

Il tirait une grosse montre de sa poche, paraissait effrayé et s'éloignait rapidement.

Le juge Daumas toussota.

— Je suppose, Maigret, que vous préférez que je vous laisse travailler tranquillement? Je voudrais seulement savoir si vous avez des soupçons...

— Non... Oui... Franchement, Monsieur le Juge, je ne sais pas... Cette affaire ne se présente pas comme les autres et je suis désorienté...

— Vous n'avez plus besoin de moi? questionnait le commissaire Lambilliote...

— Plus besoin... répétait distraitement Maigret.

Il avait hâte de les voir tous partir. Le bureau se vidait petit à petit. Parfois un flash éclatait dans la pièce pourtant lumineuse. Deux hommes, qui faisaient leur métier comme des menuisiers ou des serruriers, prenaient les empreintes digitales de la morte.

Maigret se glissa discrètement hors de la pièce, fit signe à Lucas et à Torrence de l'attendre, entra dans le bureau du fond, où Tortu répondait au téléphone tandis que Baud, les coudes sur sa table, regardait devant lui d'un œil vague.

Il était ivre. Le niveau du cognac avait baissé de trois bons doigts dans la bouteille. Maigret la saisit et sans vergogne, parce que c'était vraiment nécessaire, se versa à boire dans le verre du Suisse.

-:-

Il travaillait comme un somnambule, s'arrêtant parfois, le regard fixe, dans la crainte d'oublier quelque chose d'essentiel. Il serra vaguement la main du médecin légiste dont le vrai travail ne commencerait qu'à l'Institut médico-légal.

Les gens du fourgon étaient déjà là avec une civière et il jeta un dernier coup d'œil à la robe vert amande qui aurait dû marquer une joyeuse journée de printemps.

— Janvier, tu vas t'occuper des parents... On doit avoir leur adresse, dans le bureau du fond... Vois aussi dans son sac... Enfin, fais le nécessaire...

Il emmenait ses deux autres collaborateurs vers le vestiaire.

— Vous deux, dressez-moi un plan de l'appartement, questionnez le personnel, notez à quel endroit chacun se trouvait entre neuf heures et quart et dix heures...

« Notez aussi ce que chacun a vu, chaque allée et venue... »

Ferdinand était là, debout, les bras croisés, à attendre.

— Pour le plan, il vous aidera... Dites-moi, Ferdinand, je suppose que Mme Parendon est dans sa chambre?

— Oui, Monsieur Maigret.

— Quelle a été sa réaction?

— Elle n'a pas eu de réaction, Monsieur, car elle ne doit pas encore être au courant. Pour autant que je sache, elle dort, et Lise n'a pas osé prendre sur elle de la réveiller.

— M. Parendon n'est pas allé la voir non plus?

— Monsieur n'est pas sorti de son bureau...

— Il n'a pas vu le corps?

— Je vous demande pardon. Il en est sorti un moment, en effet, quand M. Tortu est allé le mettre au courant. Il a jeté un coup d'œil dans le bureau de Mlle Vague et il est rentré chez lui...

La veille, Maigret s'était trompé quand, parce que son correspondant anonyme avait un style précis, il avait cru devoir prendre à la lettre le mot « frapper ».

On n'avait pas frappé. On n'avait pas tiré non plus. On avait littéralement égorgé.

Il dut s'effacer pour laisser passer les brancardiers et, quelques instants plus tard, il frappait à la porte monumentale du bureau de Parendon. Il n'entendit aucune réponse. Il est vrai que la porte était en chêne épais. Il tourna la poignée, poussa un des battants et aperçut l'avocat dans un des fauteuils de cuir.

L'espace d'une seconde, il eut peur qu'il ne lui soit arrivé malheur, à lui aussi, tant il était tassé sur lui-même, le menton sur la poitrine, une main molle touchant le tapis.

Il s'avança et s'assit dans un fauteuil en face de lui, de sorte qu'ils se trouvaient face à face, à courte distance l'un de l'autre, comme pour leur premier entretien. Dans les rayonnages, les noms de Lagache, d'Henri Ey, de Ruyssen, des autres psychiatres, brillaient en lettres dorées sur les reliures.

Il fut surpris d'entendre une voix murmurer :

— Qu'en pensez-vous, Monsieur Maigret?

La voix était lointaine, éteinte. C'était celle d'un homme anéanti, et c'est à peine si l'avocat fit un effort pour se redresser, pour lever la tête Du coup, ses lunettes tombèrent par terre et, sans les verres épais, ses yeux étaient ceux d'un enfant peureux. Il se baissa avec effort pour les ramasser, les remit en place.

Il reprit :

— Qu'est-ce qu'ils font?

Et sa main blanche désignait le bureau de la jeune fille.

— Les formalités sont terminées...

— Le... Le corps?...

— Le corps vient de partir...

— Ne faites pas attention... Je vais me ressaisir...

De la main droite, il se tâtait machinalement le cœur tandis que le commissaire le regardait aussi fixement que le premier jour.

Il se redressait, en effet, tirait un mouchoir de sa poche, le passait sur son visage.

— Vous ne voulez pas boire quelque chose?

Son regard alla vers la partie des boiseries qui cachait un petit bar.

— Vous aussi?

Maigret en profita pour se lever, prendre deux verres, le flacon de vieil armagnac qu'il connaissait déjà.

— Ce n'était pas une plaisanterie... prononça lentement l'avocat.

Et, bien que sa voix se fût raffermie, elle restait étrange, comme mécanique, sans intonation..

— Vous voilà bien embarrassé, n'est-ce pas?

Et, comme Maigret le regardait toujours sans répondre, il ajoutait :

— Qu'allez-vous faire, à présent?

— Deux de mes hommes sont occupés à préciser l'emploi du temps de chacun, ici, entre neuf heures et quart et dix heures...

— C'était avant dix heures...

— Je sais...

— Dix heures moins dix... Il était juste dix

heures moins dix quand Tortu est venu m'annoncer la nouvelle...

Il jetait un regard à la pendule de bronze qui marquait onze heures trente-cinq.

— Depuis lors, vous êtes resté assis dans ce fauteuil?

— J'ai traversé le couloir derrière Tortu, mais je n'ai pu soutenir le spectacle que quelques secondes... Je suis revenu ici et... Vous avez raison... Je n'ai pas bougé de ce fauteuil...

« Je me souviens vaguement que Martin, mon médecin, est passé, qu'il m'a parlé, que j'ai hoché la tête, qu'il m'a pris le pouls et qu'il est parti comme un homme pressé...

— Il devait se rendre à l'hôpital pour sa consultation, en effet...

— Il a dû penser que j'étais drogué...

— Il vous est arrivé de vous droguer?

— Jamais... Je m'imagine ce que cela donne...

Les arbres, dehors, bruissaient légèrement, et on entendait le vacarme des autobus place Beauveau.

— Je ne me serais pas douté...

Il parlait vaguement, sans achever ses phrases, et Maigret ne le quittait toujours pas des yeux. Il avait toujours deux pipes en poche et il prit celle qui n'était pas cassée, la bourra, tira de grosses bouffées comme pour reprendre pied sur terre.

— Douté de quoi?

— Du point... De la façon... De l'importance... Oui, de l'importance, c'est le mot, des liens...

Sa main désignait une fois de plus le bureau de la secrétaire.

— C'est tellement inattendu!...

Maigret se serait-il senti plus sûr de lui s'il avait absorbé tous les ouvrages de psychiatrie et de psychologie qui s'alignaient dans la bibliothèque?

Il ne se souvenait pas d'avoir regardé un homme avec autant d'intensité qu'en ce moment. Il ne perdait pas un mouvement, pas un tressaillement d'un muscle du visage.

— Vous aviez pensé à elle, vous?

Le commissaire avoua :

— Non.

— A moi?

— A vous ou à votre femme...

— Où est-elle?

— Il paraît qu'elle dort, qu'elle ne sait encore rien...

Les sourcils de l'avocat se froncèrent. Il s'imposait un grand effort de concentration.

— Elle n'est pas sortie de chez elle?

— D'après Ferdinand, non...

— Ce n'est pas le secteur de Ferdinand...

— Je sais... Un de mes inspecteurs est sans doute en train de questionner Lise...

Parendon commençait à s'agiter, comme si une pensée qui ne lui était pas encore venue le tourmentait soudain.

— Mais alors, vous allez m'arrêter?... Si ma femme n'est pas sortie de sa chambre...

Lui avait-il donc paru évident que Mme Parendon était la meurtrière?

— Vous m'arrêtez, dites?

— Il est trop tôt pour arrêter qui que ce soit...

Il se leva et but une gorgée d'armagnac, s'essuya le front du revers de la main.

— Je n'y comprends plus rien, Maigret...

Il se reprit.

— Excusez-moi... Monsieur Maigret.... Quelqu'un d'étranger à la maison est-il entré dans l'appartement?

Il redevenait lui-même. Ses yeux reprenaient vie.

— Non. Un de mes hommes a passé la nuit dans la maison et un autre l'a relayé vers huit heures du matin...

— Il faudra relire les lettres... murmura-t-il à mi-voix.

— Je les ai relues plusieurs fois hier en fin d'après-midi...

— Il y a, dans tout ça, quelque chose d'incohérent, comme si les événements, tout à coup, avaient tourné dans un sens imprévu...

Il se rassit et Maigret réfléchit à ces paroles. Lui aussi, quand il avait appris que Mlle Vague était morte, avait eu l'impression d'une erreur.

— Vous savez, elle m'était très, très... dévouée...

— Plus que cela, précisa le commissaire.

— Vous croyez?

— Hier, elle m'a parlé de vous avec une véritable passion...

Le petit homme écarquillait les yeux, incrédule, comme s'il ne parvenait pas à se convaincre qu'il avait inspiré un tel sentiment.

— J'ai eu un long entretien avec elle pendant que vous receviez les deux armateurs...

— Je sais... Elle me l'a dit... Que sont devenus les documents?...

— Julien Baud les avait à la main quand il a découvert le corps et qu'il s'est précipité, affolé, dans son bureau... Les papiers sont un peu froissés...

— Ils sont très importants... Ces gens-là ne peuvent pas pâtir de ce qui se passe dans ma maison...

— Puis-je vous poser une question, Monsieur Parendon?

— Je l'attends depuis que je vous ai vu entrer... C'est votre devoir de la poser, bien entendu, et même de ne pas me croire sur parole... Non, je n'ai pas tué Mlle Vague...

« Il y a des mots que je n'ai pas prononcé souvent dans ma vie, que j'ai presque rayé de mon vocabulaire... Aujourd'hui, je vais en employer un, parce qu'il n'y en a pas d'autre pour exprimer la vérité que je viens de découvrir : je l'aimais, Monsieur Maigret... »

Il disait cela calmement et cela n'en était que plus impressionnant. Le reste était plus aisé.

— Je croyais n'avoir pour elle qu'un certain attachement, en plus du désir physique... J'en avais un peu honte, car j'ai une fille qui a presque son âge... Il y avait, chez Antoinette...

C'était la première fois que Maigret entendait prononcer le prénom de Mlle Vague.

— ... Il y avait une sorte de... attendez... de spontanéité qui me rafraîchissait... La spontanéité, voyez-vous, on n'en trouve guère dans cette maison... Elle apportait ça du dehors, comme un cadeau, comme on apporte des fleurs fraîches... »

— Vous savez avec quelle arme le crime a été commis?

— Un couteau, je suppose?

— Non... Une sorte de grattoir que j'ai remarqué hier sur le bureau de votre secrétaire... Il m'a frappé, car il n'est pas du modèle habituel... La lame en est plus longue, plus acérée...

— Il vient, comme toutes les fournitures de bureau, de la papeterie Roman...

— C'est vous qui l'avez acheté?

— Certainement pas. Elle a dû le choisir elle-même...

— Mlle Vague était assise devant son bureau et examinait sans doute des documents... Elle en avait remis une partie à Julien Baud pour qu'il les collationne...

Parendon n'avait pas l'air d'un homme sur ses gardes, d'un homme qui s'attend à ce qu'on lui tende un piège. Il écoutait avec attention, un peu surpris, peut-être, de l'importance que Maigret attachait à ces détails.

— La personne qui l'a tuée savait trouver ce grattoir dans le plumier, sinon elle aurait apporté une arme...

— Qui vous dit qu'elle n'était pas armée et qu'elle n'a pas changé d'avis?...

— Mlle Vague l'a vue prendre le grattoir et ne s'est pas mise en garde, ne s'est pas levée... Elle a continué de travailler cependant qu'on passait derrière elle...

Parendon réfléchissait, reconstituait en esprit la scène que Maigret venait de décrire, et c'était avec l'esprit précis du grand avocat d'affaires qu'il était.

Rien de flou dans son attitude. Gnome peut-être, si l'on doit se moquer des gens de petite taille, mais gnome d'une intelligence étonnante.

— Je crois que vous serez obligé de m'arrêter avant la fin de la journée, dit-il soudain.

Il n'y avait rien de sarcastique dans son attitude. C'était un homme qui concluait, après avoir pesé le pour et le contre.

— Ce sera l'occasion, pour mon défenseur, ajoutait-il, en y mettant cette fois de l'ironie, de s'exercer sur l'article 64...

Maigret était dérouté une fois de plus. Il le fut davantage encore quand la porte qui communiquait avec le grand salon s'ouvrit et qu'on vit Mme Parendon dans l'encadrement. Elle n'était pas coiffée, ni maquillée. Elle portait le déshabillé bleu de la veille. Elle se tenait très droite, mais elle n'en paraissait pas moins beaucoup plus que son âge.

— Excusez-moi de vous déranger...

Elle parlait comme s'il ne s'était rien passé dans l'appartement.

— Je suppose, Commissaire, que je n'ai pas le droit d'avoir un entretien en tête à tête avec mon mari?... Cela ne nous arrive pas souvent mais, étant donné les circonstances...

— Pour le moment, je ne puis vous autoriser à lui parler qu'en ma présence...

Elle ne s'avançait pas dans la pièce, restait debout, avec le salon ensoleillé derrière elle. Les deux hommes s'étaient levés.

— Très bien. Vous faites votre métier.

Elle tira une bouffée de la cigarette qu'elle avait à la main et les regarda tour à tour en hésitant.

— Puis-je vous demander d'abord, Monsieur Maigret, si vous avez pris une décision?

— A quel propos?

— A propos de l'événement de ce matin... Je viens de l'apprendre et je suppose que vous allez procéder à une arrestation...

— Je n'ai pas pris de décision...

— Bien... Les enfants ne tarderont pas à rentrer et il vaut mieux que les choses soient nettes... Dis-moi, Emile, est-ce toi qui l'as tuée?...

Maigret n'en croyait ni ses yeux ni ses oreilles. Ils étaient face à face, à trois mètres l'un de l'autre, le regard dur, les traits tendus.

— Tu oses me demander si...

Parendon étouffait, ses petits poings serrés par la rage.

— Pas de comédie. Réponds oui ou non...

Alors, soudain, il s'emporta, ce qui n'avait pas dû lui arriver souvent dans sa vie et, les deux bras levés dans une sorte d'adjuration au ciel, il cria :

— Tu sais bien que non, nom de Dieu!

Il en trépignait. Il aurait peut-être été capable de se précipiter sur elle.

— C'est tout ce que je voulais entendre... Merci...

Et, très naturellement, elle reculait dans le salon, refermait la porte derrière elle.

CHAPITRE VI

JE M'EXCUSE D'ETRE sorti de mes gonds, Monsieur Maigret. Ce n'est pas dans mon caractère...

— Je sais...

C'est justement parce qu'il le savait que Maigret était rêveur.

Le petit homme, debout, reprenait son souffle, le contrôle de lui-même, s'épongeait encore une fois le visage. Celui-ci n'était pas rouge, mais jaunâtre.

— Vous la haïssez?

— Je ne hais personne... Parce que je ne crois pas qu'un être humain soit jamais pleinement responsable...

— L'article 64!...

— L'article 64, oui... Peu importe si cela me donne l'air d'un maniaque mais je ne changerai pas d'opinion...

— Même s'il s'agit de votre femme?

— Même s'il s'agit d'elle...

— Même si elle avait tué Mlle Vague?

Le visage, un instant, parut se dissoudre, les prunelles se diluer.

— Même!

— Vous pensez qu'elle en est capable?

— Je n'accuse personne...

— Tout à l'heure, je vous ai posé une question... Je vous en pose une seconde et vous pourrez me répondre par oui ou par non... Mon correspondant anonyme n'est pas nécessairement le meurtrier... Quelqu'un, sentant venir le drame, a pu s'imaginer qu'il l'éviterait en introduisant la police dans la maison...

— Je prévois la question... Ce n'est pas moi qui ai écrit les lettres...

— Cela pourrait-il être la victime?

Il réfléchit un bon moment.

— Ce n'est pas une impossibilité... Pourtant, cela cadre mal avec son caractère... Elle était plus directe... Je vous ai parlé tout à l'heure de sa spontanéité...

« Peut-être, en effet, ne se serait-elle pas adressée à moi, sachant bien... »

Il se mordait les lèvres.

— Sachant bien quoi?

— Que, si je m'étais cru menacé, je n'aurais pris aucune mesure...

— Pour quelle raison?

Il regarda Maigret, hésitant.

— C'est difficile à expliquer... Un jour, j'ai fait mon choix...

— En vous mariant?

— En entrant dans la carrière que j'ai choisie... En me mariant... En vivant d'une certaine manière... Par conséquent, c'est à moi d'en supporter les conséquences...

— Cela n'est-il pas contraire à vos idées sur la responsabilité humaine?

— Peut-être... En apparence, en tout cas...

On le sentait las, désemparé. On devinait, derrière son front bombé, des pensées tumultueuses qu'il s'efforçait de mettre en ordre.

— Croyez-vous, Monsieur Parendon, que la personne qui m'a écrit pensait que la victime serait votre secrétaire?

— Non...

On entendait, dans le salon, malgré la porte fermée, une voix qui criait :

— Où est mon père?

Puis, presque aussitôt, la porte s'ouvrait d'une poussée, un jeune homme très grand, aux cheveux hirsutes, faisait deux ou trois pas dans la pièce, s'arrêtait devant les deux hommes.

Son regard allait de l'un à l'autre, s'arrêtait, presque menaçant, sur le commissaire.

— Vous allez arrêter mon père?

— Calme-toi, Gus... Le commissaire Maigret et moi...

— C'est vous, Maigret?

Il le regardait avec plus de curiosité.

— Qui allez-vous arrêter?

— Pour le moment, personne...

— En tout cas, je peux vous jurer que ce n'est pas mon père...

— Qui vous a mis au courant?

— D'abord le concierge, sans me fournir de détails, puis Ferdinand...

— Vous ne vous y attendiez pas un peu?

Parendon en profitait pour aller s'asseoir à son bureau, comme pour se retrouver dans sa position la plus habituelle.

— C'est un interrogatoire?

Et le garçon se tournait vers son père pour lui demander conseil.

— Mon rôle, Gus...

— Qui vous a dit qu'on m'appelle Gus?

— Tout le monde dans la maison... Je vous pose des questions, comme à chacun, mais il ne s'agit pas d'un interrogatoire officiel... Je vous ai demandé si vous ne vous y attendiez pas un peu...

— A quoi?

— A ce qui s'est passé ce matin...

— Si vous voulez dire à ce qu'on égorge Antoinette, non...

— Vous l'appeliez Antoinette?

— Depuis longtemps... Nous étions bons copains...

— A quoi vous attendiez-vous?

Ses oreilles rougissaient brusquement.

— A rien de précis...

— Mais à un drame?

— Je ne sais pas...

Maigret constata que Parendon observait son fils avec attention, comme s'il se posait une question, lui aussi, ou comme s'il faisait une découverte.

— Vous avez quinze ans, Gus?

— J'en aurai seize en juin...

— Préférez-vous que je vous parle devant votre père ou que je vous prenne en particulier dans votre chambre ou dans une autre pièce?

Le garçon hésita. Si sa fièvre était tombée, sa nervosité subsistait. Il se tourna à nouveau vers l'avocat.

— Qu'est-ce que tu préfères, père?

— Je crois que vous serez plus à l'aise tous les deux dans ta chambre... Un instant, fils... Ta sœur va arriver, si elle n'est pas déjà ici... Je désire que vous déjeuniez tous les deux comme d'habitude sans vous préoccuper de moi... Je ne viendrai pas à table...

— Tu ne manges pas?

— Je ne sais pas... Je me ferai peut-être servir un sandwich... J'ai besoin d'un peu de paix...

On sentait le gosse prêt à s'élancer vers son père, à l'embrasser, et ce n'était pas la présence de Maigret qui l'en empêchait, c'était une pudeur qui devait exister depuis toujours entre Parendon et son fils.

Ils n'étaient ni l'un ni l'autre enclins aux épanchements sentimentaux, aux embrassades, et Maigret voyait très bien, Gus, plus jeune, venant s'asseoir dans le bureau de son père, silencieux et immobile, pour le regarder lire ou travailler.

— Si vous voulez venir dans ma chambre, suivez-moi...

Dans le salon qu'ils devaient traverser, Maigret trouva Lucas et Torrence qui l'attendaient, mal à l'aise dans la pièce immense et somptueuse.

— Vous avez fini, mes enfants?

— C'est fait, patron... Désirez-vous voir le plan, connaître les allées et venues?...

— Pas maintenant... L'heure?...

— Entre neuf heures et demie et dix heures moins le quart... On pourrait dire avec une quasi-certitude neuf heures trente-sept...

Maigret s'était tourné vers les fenêtres larges ouvertes.

— Elles étaient ouvertes ce matin? demanda-t-il.

— A partir de huit heures et quart...

Par-dessus les garages, on voyait les nombreuses fenêtres d'un immeuble de six étages, rue du Cirque. C'était l'arrière d'un bâtiment. Une femme traversait une cuisine, une casserole à la main. Une autre, au troisième, changeait les langes d'un bébé.

— Vous allez d'abord manger un morceau tous les deux. Où est Janvier?

— Il a retrouvé la mère, dans un village du Berry... Elle n'a pas le téléphone et il a chargé quelqu'un, là-bas, de l'emmener à la cabine...

« Il attend la communication dans le bureau du fond... »

— Il n'aura qu'à vous rejoindre... Vous trouverez un restaurant pas mauvais, rue de Miromesnil... Cela s'appelle « Au Petit Chaudron »... Ensuite, vous vous partagerez les étages des immeubles que vous apercevez d'ici, rue du Cirque... Vous interrogerez les locataires dont les fenêtres donnent de ce côté... Ils ont pu voir, par exemple, quelqu'un traverser le salon entre neuf heures et demie et dix heures moins le quart... Ils doivent plonger dans d'autres pièces... »

— Où vous retrouvons-nous?

— Au Quai, quand vous aurez fini... A moins que vous ne fassiez une découverte importante... Je serai peut-être encore ici...

Gus attendait, intéressé. Le drame ne l'empêchait pas de conserver une curiosité quelque peu enfantine vis-à-vis de la police.

— Je suis à vous, Gus...

Ils suivirent un corridor plus étroit que celui de l'aile gauche, passèrent devant une cuisine. Par la porte vitrée, on apercevait une grosse femme vêtue de sombre.

— C'est la deuxième porte...

La chambre était grande, son atmosphère différente du reste de l'appartement. Si les meubles restaient de style, sans doute parce qu'on avait voulu les utiliser, Gus en avait changé le caractère en les encombrant d'objets de toutes sortes, en ajoutant des planches, des tablettes.

Il y avait quatre haut-parleurs, deux ou trois tourne-disques, un microscope sur une table en bois blanc, des fils de cuivre fixés sur une autre table et formant un circuit compliqué. Un seul fauteuil, près de la fenêtre, sur lequel on avait tendu au petit bonheur une pièce de coton rouge. Du coton rouge aussi recouvrait le lit, le transformant vaguement en divan.

— Vous l'avez gardé? remarqua Maigret en désignant un gros ours en peluche sur une étagère.

— Pourquoi en aurais-je honte? C'est mon père qui me l'a acheté pour mon premier anniversaire...

Il prononçait le mot père avec fierté, sinon avec défi. On le sentait prêt à le défendre farouchement.

— Vous aimiez bien Mlle Vague, Gus?

— Je vous l'ai déjà dit... Nous étions copains...

Il devait être flatté qu'une jeune fille de vingt-cinq ans le traite en ami.

— Vous alliez souvent dans son bureau?

— Au moins une fois par jour...

— Vous n'êtes jamais sorti avec elle?

Le garçon le regarda avec surprise. Maigret bourrait sa pipe.

— Pour aller où?

— Au cinéma, par exemple... Ou pour danser...

— Je ne danse pas... Je ne suis jamais sorti avec elle...

— Vous n'êtes jamais allé chez elle?

Ses oreilles devinrent à nouveau rouges.

— Qu'est-ce que vous essayez de me faire dire?... Quelle pensée avez-vous derrière la tête?...

— Vous étiez au courant des relations d'Antoinette avec votre père?

— Pourquoi pas? riposta-t-il, la tête dressée comme un coq. Vous y voyez du mal, vous?

— Il ne s'agit pas de moi, mais de vous...

— Mon père est libre, non?

— Et votre mère?

— Cela ne la regardait pas...

— Que voulez-vous dire au juste?

— Qu'un homme a bien le droit...

Il n'achevait pas sa phrase, mais le début était assez explicite.

— Vous pensez que c'est la cause du drame qui s'est produit ce matin?

— Je ne sais pas...

— Vous vous attendiez à un drame?

Maigret s'était assis dans le fauteuil rouge et allumait lentement sa pipe en regardant le garçon en pleine croissance dont les bras semblaient trop longs, les mains trop grosses.

— Je m'y attendais sans m'y attendre...

— Expliquez-vous plus clairement... C'est une réponse que votre professeur au lycée Racine n'accepterait pas...

— Je ne vous imaginais pas ainsi...

— Vous me trouvez rude?

— On dirait que je vous suis antipathique, que vous me soupçonnez de je ne sais quoi...

— C'est exact...

— Pas d'avoir tué Antoinette, quand même?... Et d'abord, j'étais en classe...

— Je sais... Je sais aussi que vous avez une véritable vénération pour votre père...

— C'est mal?

— Pas du tout... En même temps, vous le considérez comme un homme sans défense...

— Que voulez-vous insinuer?

— Rien de mauvais, Gus... Votre père, sauf en affaires peut-être, est enclin à ne pas combattre... Il considère que tout ce qui lui arrive ne peut arriver que par sa faute...

— C'est un homme intelligent et scrupuleux...

— Antoinette aussi, à sa façon, était sans défense... En somme, vous étiez deux, elle et vous, à veiller sur votre père... C'est pourquoi il était né entre vous une certaine complicité...

— Nous n'avons jamais parlé de rien...

— Je le crois volontiers... Vous n'en sentiez pas moins que vous étiez du même côté... C'est pourquoi, sans avoir rien à lui dire, vous ne manquiez jamais d'aller prendre contact avec elle...

— Où voulez-vous en venir?

Pour la première fois, le jeune homme, qui tripotait un fil de cuivre, détournait la tête.

— J'y suis arrivé. C'est vous, Gus, qui m'avez envoyé les billets et c'est vous qui, hier, avez téléphoné à la P.J...

Maigret ne le voyait plus que de dos. Il y eut une longue attente. Enfin, le garçon lui fit face, le visage brouillé.

— C'est moi, oui... Vous finiriez quand même par le découvrir, n'est-ce pas?...

Il ne regardait plus Maigret avec la même

méfiance. Le commissaire, au contraire, venait de remonter dans son estime.

— Comment en êtes-vous arrivé à me soupçonner?

— Les billets ne pouvaient avoir été écrits que par l'assassin ou par quelqu'un qui cherchait à protéger indirectement votre père...

— Cela aurait pu être Antoinette...

Il préféra ne pas lui répondre que la jeune fille n'avait plus son âge et qu'elle ne se serait pas servie d'un procédé aussi compliqué ou aussi enfantin.

— Je vous ai déçu, Gus?

— Je pensais que vous vous y prendriez autrement...

— Comment, par exemple?

— Je l'ignore... J'ai lu le récit de vos enquêtes... A mes yeux, vous étiez l'homme capable de tout comprendre...

— Et maintenant?

Il haussa les épaules.

— Je n'ai plus d'opinion...

— Qui auriez-vous voulu que j'arrête?...

— Je ne voulais pas que vous arrêtiez quelqu'un...

— Alors?... Qu'est-ce que je devais faire?...

— Ce n'est pas moi, mais vous qui dirigez la Brigade Criminelle...

— Un crime, hier, ce matin à 9 heures encore, avait-il été commis?

— Bien sûr que non...

— Vous vouliez protéger votre père de quoi?

Il y eut un nouveau silence.

— Je sentais qu'il courait un danger...

— Quel danger?

Maigret était persuadé que Gus comprenait le

sens de sa question. Le garçon avait voulu protéger son père. Contre qui? Cela ne pouvait-il pas être aussi bien le protéger contre lui-même?

— Je ne veux plus répondre.

— Pourquoi?

— Parce que!

Il ajouta, bien décidé :

— Emmenez-moi quai des Orfèvres, si vous voulez... Posez-moi les mêmes questions pendant des heures... A vos yeux, je ne suis peut-être qu'un gosse, mais je vous jure que je ne dirai plus rien...

— Je ne vous demande plus rien... Il est l'heure d'aller à table, Gus...

— Peu importe, aujourd'hui, si j'arrive en retard au lycée...

— Où est la chambre de votre sœur?

— Deux portes plus loin, dans le même couloir...

— Sans rancune?

— Vous faites votre métier...

Et le garçon referma sa porte violemment. Maigret, un peu plus tard, frappait à celle de Bambi, derrière laquelle il entendait un bruit d'aspirateur. Ce fut une jeune fille en uniforme, aux cheveux très clair et très flous, qui lui ouvrit.

— C'est moi que vous cherchez?

— Vous vous appelez Lise?

— Oui... Je suis la femme de chambre... Vous m'avez déjà croisée dans les couloirs...

— Où est Mademoiselle?

— Peut-être dans la salle à manger?... Peut-être chez son père ou chez sa mère?... C'est dans l'autre aile...

— Je sais... Je suis allé hier chez Mme Parendon...

Une porte ouverte lui laissa voir une salle à manger aux murs couverts de boiseries de bas en haut. Le couvert était mis pour deux sur une table à laquelle on aurait pu asseoir vingt personnes. Tout à l'heure, Bambi et son frère seraient ici, séparés par une vaste étendue de nappe, avec un Ferdinand compassé, ganté de fil blanc, pour les servir.

Au passage, il entrouvrit la porte du cabinet de l'avocat. Celui-ci était assis dans le même fauteuil que le matin. Sur une table pliante, on voyait une bouteille de vin, un verre, quelques sandwiches. Parendon ne bougea pas. Peut-être n'avait-il rien entendu? Le soleil faisait une tache sur son crâne qui, vu ainsi, paraissait chauve.

Le commissaire referma, retrouva le couloir qu'il avait suivi la veille, la porte du boudoir. A travers celle-ci, il entendit une voix véhémente, tragique, qu'il ne connaissait pas.

Les mots ne parvenaient pas jusqu'à lui, mais on sentait une passion déchaînée.

Il frappa très fort. La voix se tut soudain et, un instant plus tard, la porte s'ouvrait, une jeune fille se dressait devant lui, encore haletante, les yeux brillants, la respiration oppressée.

— Que voulez-vous?

Derrière elle, Mme Parendon, toujours en déshabillé bleu, s'était tournée, debout, vers la fenêtre, lui cachant ainsi son visage.

— Je suis le commissaire Maigret...

— Je m'en doute... Et après?... Nous n'avons plus le droit d'être chez nous?...

Sans être belle, elle avait un visage agréable, un corps bien proportionné. Elle portait un tailleur simple et, contre la mode, ses cheveux étaient maintenus par un ruban.

— J'aurais aimé, mademoiselle, avant que vous alliez déjeuner, avoir un court entretien avec vous...

— Ici?

Il hésita. Il avait vu frémir les épaules de la mère.

— Pas nécessairement... Où vous voudrez...

Bambi sortit de la pièce, sans un regard derrière elle, ferma la porte, prononça :

— Où voulez-vous que nous allions?

— Chez vous? suggéra-t-il.

— Lise est occupée à faire ma chambre...

— Dans un des bureaux?

— Cela m'est égal...

Son hostilité ne s'adressait pas particulièrement à Maigret. C'était plutôt un état d'âme. Maintenant que son violent discours avait été interrompu, ses nerfs la lâchaient et elle le suivait avec lassitude.

— Pas chez... commença-t-elle.

Pas chez Mlle Vague, bien entendu. Ils entrèrent dans le bureau de Tortu et de Julien Baud qui étaient allés déjeuner.

— Vous avez vu votre père?... Asseyez-vous...

— Je préférerais ne pas m'asseoir...

Elle restait trop vibrante pour s'immobiliser sur une chaise.

— Comme vous voudrez...

Il ne s'assit pas non plus mais s'appuya au bureau de Tortu.

— Je vous ai demandé si vous aviez vu votre père?

— Pas depuis que je suis rentrée, non...

— Quand êtes-vous rentrée?

— A midi et quart...

— Qui vous a mis au courant?

— Le concierge...

Lamure semblait les avoir guettés tous les deux, Gus et sa sœur, afin d'être le premier à leur apprendre la nouvelle.

— Ensuite?

— Ensuite quoi?

— Qu'avez-vous fait?

— Ferdinand a voulu me parler; je ne l'ai pas écouté et je suis allée droit chez moi...

— Vous y avez trouvé Lise?

— Oui. Elle nettoyait la salle de bains. A cause de ce qui s'est passé, tout est en retard.

— Vous avez pleuré?

— Non.

— L'idée ne vous est pas venue de prendre contact avec votre père?

— Peut-être... Je ne me souviens pas... Je n'y suis pas allée...

— Vous êtes restée longtemps dans votre chambre?

— Je n'ai pas regardé l'heure... Cinq minutes, ou un peu plus...

— A quoi faire?

Elle le regarda, hésitante. Cela paraissait être une habitude dans la maison. Chacun, avant de parler, avait tendance à peser ses paroles.

— A me regarder dans la glace...

C'était un défi. Ce trait-là aussi se retrouvait chez d'autres personnes de la famille.

— Pourquoi?

— Vous voulez que je sois franche, n'est-ce pas?... Eh bien! je le serai... Je cherchais à savoir à qui je ressemble...

— A votre père ou à votre mère?

— Oui.

— Quelle a été votre conclusion?

Elle se durcit pour lui lancer rageusement :

— A ma mère!

-:-

— Vous détestez votre mère, mademoiselle Parendon?

— Je ne la déteste pas. Je voudrais l'aider. J'ai souvent essayé.

— L'aider à quoi?

— Vous croyez que cela peut nous mener quelque part?

— De quoi parlez-vous?

— De vos questions... De mes réponses...

— Cela pourrait m'aider à comprendre...

— Vous passez quelques heures, ici et là, dans une famille, et vous prétendez arriver à comprendre? Ne croyez pas que je vous sois hostile. Je sais que, depuis lundi, vous rôdez dans la maison...

— Vous savez aussi qui m'a envoyé les lettres?

— Oui.

— Comment l'avez-vous appris?

— Je l'ai surpris coupant les feuilles de papier...

— Gus vous a dit à quoi il les destinait?

— Non... C'est après, quand on en a parlé dans la maison, que j'ai compris...

— Qui vous en a parlé?

— Je ne sais plus... Peut-être Julien Baud... Je l'aime bien... Il a l'air d'un hurluberlu, mais c'est un chic garçon...

— Un détail m'intrigue... C'est vous, n'est-ce pas, qui avez choisi le surnom de Bambi et qui avez appelé votre frère Gus?

Elle le regarda avec un léger sourire.

— Cela vous étonne?

— Par protestation?

— Vous devinez juste. Par protestation contre cette grande baraque solennelle, contre la façon dont nous vivons, contre les gens qui nous fréquentent... J'aurais préféré naître dans une famille modeste, avoir à lutter pour faire mon chemin dans la vie...

— Vous luttez à votre façon...

— L'archéologie, vous savez... Je ne voulais pas d'une carrière où j'aurais pris la place de quelqu'un...

— C'est surtout votre mère qui vous irrite, n'est-ce pas?

— J'aimerais tellement mieux ne pas parler d'elle...

— C'est hélas elle qui importe en ce moment, non?

— Peut-être... Je ne sais pas...

Elle l'observa à la dérobée.

— Vous la croyez coupable, insista Maigret.

— Qu'est-ce qui vous le fait penser?

— Lorsque je suis allé au boudoir, je vous ai entendu parler avec emportement...

— Cela ne signifie pas que je la crois coupable... Je n'aime pas la façon dont elle se comporte... Je n'aime pas la vie qu'elle mène, qu'elle nous fait mener... Je n'aime pas...

Elle se contrôlait moins bien que son frère, bien qu'elle fût plus calme en apparence.

— Vous lui reprochez de ne pas rendre votre père heureux?

— On ne peut pas rendre les gens heureux malgré eux... Quant à les rendre malheureux...

— Vous aimiez bien Mlle Vague, comme vous aimez bien Julien Baud?

Elle n'hésita pas une seconde à lancer :

— Non!

— Pourquoi?

— Parce que c'était une petite intrigante qui faisait croire à mon père qu'elle l'aimait...

— Vous les avez entendus parler d'amour?

— Evidemment pas. Elle n'allait pas roucouler devant moi. Il suffisait de la voir quand elle se trouvait devant lui. Je n'ignore rien de ce qui se passait une fois la porte fermée.

— C'est au nom de la morale que...

— Je me moque de la morale... Et d'abord, quelle morale?... Celle de quel milieu?... Vous croyez que la morale de ce quartier est la même que celle d'une petite ville de province ou que celle du XXe arrondissement?...

— A votre avis, elle a fait souffrir votre père?

— Peut-être l'a-t-elle isolé davantage...

— Voulez-vous dire qu'elle l'a éloigné de vous?

— Ce sont des questions auxquelles je n'ai pas réfléchi, auxquelles personne ne réfléchit... Mettons que, si elle n'avait pas été là, il y aurait peut-être eu des chances...

— De quoi? D'un raccommodement?

— Il n'y avait rien à raccommoder... Mes parents ne se sont jamais aimés et je ne crois pas à l'amour non plus... Il existe pourtant une possibilité de vivre en paix, dans une certaine harmonie...

— C'est ce que vous avez essayé d'obtenir?

— J'ai essayé de calmer la frénésie de ma mère, d'atténuer ses incohérences...

— Votre père ne vous a pas aidée?

Ses idées n'étaient pas du tout celles de son frère et pourtant, sur un petit nombre de points, elles les rejoignaient.

— Mon père avait renoncé.

— A cause de sa secrétaire?

— Je préfère ne pas répondre, ne plus parler... Mettez-vous à ma place... Je rentre de la Sorbonne et je trouve...

— Vous avez raison... Ce que j'en fais, croyez-le, c'est pour qu'il y ait le moins de mal... Imaginez une enquête qui traînerait pendant des semaines, l'incertitude, les convocations à la P.J., puis dans le cabinet du juge d'instruction...

— Je n'y avais pas pensé... Qu'allez-vous faire?

— Je n'ai encore rien décidé...

— Vous avez déjeuné?

— Non. Vous non plus et votre frère doit vous attendre dans la salle à manger.

— Mon père ne déjeune pas avec nous?

— Il préfère rester seul dans son bureau...

— Vous ne déjeunez pas, vous?

— Je n'ai pas faim pour le moment, mais je vous avoue que je meurs de soif...

— Qu'est-ce que vous aimeriez boire? De la bière? Du vin?

— N'importe quoi, pourvu que le verre soit grand...

Elle ne put s'empêcher de sourire.

— Attendez-moi un instant...

Il avait compris son sourire. Elle ne le voyait pas allant boire à la cuisine ou à l'office, comme un livreur. Elle ne l'imaginait pas non plus venant s'asseoir avec Gus et elle dans la salle à manger pendant qu'ils déjeunaient en silence.

Quand elle revint, elle ne s'était pas encombrée d'un plateau. D'une main, elle tenait une bouteille de Saint-Emilion vieux de six ans, de l'autre, un verre en cristal taillé.

— Ne m'en veuillez pas si je vous ai répondu avec brusquerie, ni si je ne vous suis pas très utile...

— Vous m'êtes tous très utiles... Allez vite manger, mademoiselle Bambi...

C'était une drôle de sensation de se trouver là, à un bout de l'appartement, dans le bureau de Tortu et du jeune Suisse, seul avec une bouteille et un verre. Parce qu'il avait parlé d'un grand verre, elle avait choisi un verre à eau et il n'eut pas honte de le remplir.

Il avait vraiment soif. Il voulait se donner un coup de fouet aussi, car il venait de passer une des matinées les plus épuisantes de sa carrière. Or, il était sûr que Mme Parendon l'attendait. Elle n'ignorait pas qu'il avait interrogé toute la maisonnée, sauf elle, et elle se morfondait en se demandant quand il viendrait enfin.

S'était-elle fait apporter au boudoir de quoi manger, comme son mari l'avait fait de son côté?

Debout devant la fenêtre, il buvait son vin à petites gorgées en regardant vaguement la cour qu'il voyait pour la première fois vide de voitures, avec seulement un chat roux qui s'étirait dans une tache de soleil. Comme Lamure lui avait dit qu'il n'y avait pas un seul animal dans la maison, en dehors d'un perroquet, cela devait être un chat du voisinage qui avait cherché un endroit paisible.

Il hésita à se servir un second verre, s'en versa

la moitié et prit, avant de le boire, le temps de bourrer sa pipe.

Après quoi il poussa un soupir et se dirigea vers le boudoir, par les couloirs qu'il connaissait.

Il n'eut pas besoin de frapper. Malgré la moquette, on avait entendu ses pas et la porte s'ouvrit dès qu'il en approcha. Mme Parendon, toujours en négligé de soie bleue, avait eu le temps de se maquiller, de se coiffer, et son visage avait à peu près le même aspect que la veille.

En plus tendu ou en plus las? Il aurait eu de la peine à le dire. Il sentait une différence, comme une cassure, mais il était incapable de la déterminer.

— Je vous attendais...

— Je sais. Vous voyez que je suis venu...

— Pourquoi avez-vous tenu à voir tout le monde avant moi?

— Et si c'était pour vous donner le temps de réfléchir?...

— Je n'ai pas besoin de réfléchir... Réfléchir à quoi?...

— A ce qui s'est passé... A ce qui va fatalement se passer...

— De quoi parlez-vous?

— Lorsqu'un meurtre a été commis, il est suivi tôt ou tard, d'une arrestation, d'une instruction judiciaire, d'un procès...

— En quoi cela me concerne-t-il?

— Vous détestiez Antoinette, n'est-ce pas?

— Vous aussi, vous l'appelez par son prénom?

— Qui d'autre le fait ici?

— Gus, par exemple... Mon mari, je ne sais

pas... Il doit être capable de faire l'amour en disant cérémonieusement mademoiselle...

— Elle est morte...

— Et après? Est-ce parce qu'une personne est morte qu'on doit la parer de toutes les qualités?

— Qu'avez-vous fait, la nuit dernière, lorsque votre sœur vous a quittée après vous avoir ramenée du Crillon?

Elle fronça les sourcils, se souvint, ricana :

— J'avais oublié que vous avez truffé la maison de policiers... Bien... Figurez-vous que j'avais mal à la tête, que j'ai pris un comprimé d'aspirine et que j'ai essayé de lire en attendant qu'il produise son effet... Tenez, le livre est encore là et vous trouverez un signet à la page dix ou douze... Je ne suis pas allée bien loin...

« Je me suis couchée et j'ai essayé en vain de dormir... Cela m'arrive fréquemment et mon médecin est au courant... »

— Le docteur Martin?

— Le docteur Martin est le médecin de mon mari et des enfants... Mon médecin à moi est le docteur Pommeroy, qui habite boulevard Haussmann... Je ne suis pas malade, Dieu merci!...

Elle prononçait ces mots avec énergie, les lançait comme un défi.

— Je ne suis aucun traitement, aucun régime...

Il croyait entendre, en coulisse :

— Ce n'est pas comme mon mari...

Elle ne le disait pas, continuait :

— La seule chose dont j'aie à me plaindre est le manque de sommeil... Il m'arrive, à trois heures du matin, de n'être pas endormie... C'est à la fois épuisant et douloureux...

— Cela a été le cas la nuit dernière?

— Oui...

— Vous étiez tracassée?

— Par votre visite? répliqua-t-elle du tac au tac.

— Cela aurait pu être par les lettres anonymes, par l'atmosphère qu'elles ont créée...

— Voilà des années que je ne dors pas et il n'était pas question de lettres anonymes... Toujours est-il que j'ai fini par me relever et par prendre un barbiturique que le docteur Pommeroy m'a ordonné... Si vous voulez voir la boîte...

— Pour quelle raison la verrais-je?

— Je l'ignore... A en juger par les questions que vous m'avez posées hier, je peux m'attendre à tout... Malgré le somnifère, j'ai encore mis une bonne demi-heure à m'endormir et, quand je me suis éveillée, j'ai été stupéfaite de voir qu'il était onze heures et demie...

— Il me semblait que cela vous arrivait souvent de vous lever tard...

— Pas aussi tard... J'ai sonné Lise... Elle m'a apporté le plateau avec le thé et les toasts... Ce n'est que quand elle a ouvert les rideaux que j'ai constaté qu'elle avait les yeux rouges...

« Je lui ai demandé pourquoi elle avait pleuré... Elle m'a dit en sanglotant à nouveau qu'un malheur était arrivé dans la maison et j'ai d'abord pensé à mon mari... »

— Vous avez pensé qu'il lui était arrivé quoi?

— Vous croyez que cet homme est solide? Vous ne pensez pas que son cœur peut flancher à tout moment, comme le reste?

Il ne releva pas le « comme le reste », qu'il réserva pour plus tard.

— Elle a fini par m'apprendre que Mlle Vague avait été tuée et que la maison était pleine de policiers...

— Quelle a été votre première réaction?

— J'ai été si stupéfaite que j'ai commencé par boire mon thé... Puis je me suis précipitée vers le bureau de mon mari... Qu'est-ce qu'on va en faire?...

Il joua l'incompréhension.

— De qui?

— De mon mari... Vous n'allez pas le jeter en prison? Avec sa santé...

— Pourquoi mettrais-je votre mari en prison?... D'abord, ce n'est pas de mon ressort, mais celui du juge d'instruction... Ensuite, je ne vois aucune raison, à l'heure qu'il est, d'arrêter votre mari...

— Alors, qui soupçonnez-vous?

Il ne répondit pas. Il marchait lentement sur le tapis bleu à ramages jaunes tandis qu'elle avait pris place, comme la veille, dans la bergère.

— Pourquoi, Madame Parendon, questionna-t-il en détachant les syllabes, votre mari aurait-il tué sa secrétaire?...

— Il y a besoin d'une raison?...

— D'habitude, on n'assassine pas sans motif.

— Certaines gens peuvent se fabriquer un motif imaginaire, ne croyez-vous pas?...

— Lequel, dans le cas présent?...

— Si elle était enceinte, par exemple?...

— Vous avez des raisons de croire qu'elle était enceinte?

— Aucune...

— Votre mari est catholique?

— Non...

— A supposer qu'elle ait été enceinte, il est fort possible qu'il s'en soit réjoui...

— Sa vie en aurait été compliquée...

— Vous oubliez que nous n'en sommes plus au temps où les filles mères étaient montrées du doigt... Les années passent, Madame Parendon... Beaucoup de gens n'hésitent pas non plus à s'assurer d'un gynécologue aux idées larges...

— Je n'ai parlé de ça que comme d'un exemple...

— Cherchez une autre raison.

— Elle aurait pu le faire chanter...

— A cause de quoi? Les affaires que traite votre mari sont-elles louches?... Le croyez-vous capable d'irrégularités graves qui pourraient entacher son honneur d'avocat?...

Elle se résigna, la bouche sèche, à prononcer :

— Certainement pas.

Elle alluma une cigarette.

— Ces filles finissent toujours par essayer de se faire épouser...

— Votre mari vous a-t-il parlé de divorce?

— Pas jusqu'à présent.

— Que feriez-vous en pareil cas?

— Je serais obligée de me résigner et de ne plus veiller sur lui...

— Vous possédez, je crois, une fortune personnelle?

— Plus importante que la sienne... Nous sommes chez moi... Je suis propriétaire de l'immeuble...

— Par conséquent, je ne vois aucune raison de chantage...

— Peut-être se lasse-t-on d'un faux amour?

— Pourquoi faux?...

— Par l'âge, par les antécédents, par le genre de vie, par tout...

— Votre amour est plus vrai?

— Je lui ai donné deux enfants...

— Voulez-vous dire que vous les avez apportés dans votre corbeille de noces?...

— Vous m'insultez?

Elle le regardait de nouveau avec rage tandis qu'au contraire il exagérait sa placidité.

— Je n'en ai aucune intention, Madame, mais d'habitude, les enfants se font à deux... Dites donc plus simplement que votre mari et vous avez eu deux enfants...

— Où voulez-vous en venir?

— A ce que vous me disiez simplement, sincèrement, ce que vous avez fait ce matin.

— Je vous l'ai dit.

— Ni simplement, ni sincèrement. Vous m'avez raconté une longue histoire d'insomnie, pour effacer ensuite toute la matinée...

— Je dormais...

— J'aimerais en être sûr... Il est probable que je le saurai dans un laps de temps assez court... Mes inspecteurs ont noté l'emploi du temps et les allées et venues de chacun entre neuf heures et quart et dix heures... Je n'ignore pas qu'on peut se rendre dans les bureaux de diverses façons...

— Vous m'accusez de mentir?

— En tout cas, de ne pas me dire toute la vérité.

— Vous croyez mon mari innocent?...

— Je ne crois personne innocent, a priori, comme je ne crois personne coupable...

— Pourtant, à la façon de m'interroger...

— Que vous reprochait votre fille, lorsque je suis venu la chercher?

— Elle ne vous l'a pas dit?

— Je ne le lui ai pas demandé.

Elle ricana une fois de plus. C'était un pli amer des lèvres, d'une ironie qu'elle voulait cruelle, méprisante.

— Elle a plus de chance que moi...

— Je vous ai demandé ce qu'elle vous reprochait...

— De ne pas être auprès de son père dans un moment comme celui-ci, puisque vous tenez à le savoir.

— Elle pense que son père est coupable?

— Et si elle le pensait?

— Gus aussi, sans doute.

— Gus est encore à l'âge où le père est une sorte de Dieu, la mère une mégère...

— Tout à l'heure, quand vous avez surgi dans le bureau de votre mari, vous saviez que vous m'y trouveriez avec lui...

— Vous n'êtes pas nécessairement partout, Monsieur Maigret, et je pouvais espérer voir mon mari seul...

— Vous lui avez posé une question...

— Toute simple, toute naturelle, la question que n'importe quelle épouse aurait posée à ma place dans la circonstance... Vous avez vu sa réaction... La considérez-vous comme normale?... Direz-vous que c'est un homme normal qui s'est mis à trépigner en bégayant des injures?...

Elle sentait qu'elle venait de marquer un point et elle allumait une autre cigarette après avoir écrasé la première dans un cendrier de marbre bleu.

— J'attends vos autres questions, s'il vous en reste à me poser...

— Vous avez déjeuné?

— Ne vous inquiétez pas de ça... Si vous avez faim...

Son visage était capable de changer d'une minute à l'autre, son comportement aussi. Elle redevenait très femme du monde. Légèrement renversée en arrière, les yeux mi-clos, elle le narguait.

CHAPITRE VII

DEPUIS LE DEBUT de son entretien avec Mme Parendon, Maigret se dominait. Et, petit à petit, c'était la tristesse qui l'emportait sur l'agacement. Il se sentait lourd, maladroit, se rendait compte de tout ce qui lui manquait de connaissances pour mener à bien un tel interrogatoire.

Il finit par s'asseoir dans un de ces fauteuils trop fragiles pour lui, sa pipe éteinte à la main, et il prononça d'une voix calme, mais sourde :

— Ecoutez-moi, Madame. Contrairement à ce que vous pouvez penser, je ne vous suis pas hostile. Je ne suis qu'un fonctionnaire dont le métier est de chercher la vérité par les moyens à sa disposition.

« Je vais vous poser à nouveau la question que je vous ai posée tout à l'heure. Je vous demande de réfléchir avant de répondre, de peser le pour et le contre. Je vous avertis que si, par la suite, il est prouvé que vous m'avez menti, j'en tirerai mes conclusions et que je demanderai au juge d'instruction un mandat d'amener. »

Il l'observait, surtout ses mains qui trahissaient sa tension intérieure.

— Depuis neuf heures, ce matin, êtes-vous sortie de votre chambre et de votre boudoir et vous êtes-vous dirigée, pour quelque raison que ce soit, vers les bureaux?

Elle ne cilla pas, ne détourna pas les yeux. Comme il l'avait demandé, elle prenait son temps, mais il était clair qu'elle ne réfléchissait pas, que sa position était fixée une fois pour toutes. Elle laissa tomber enfin :

— Non.

— Vous ne vous êtes pas montrée dans les couloirs?

— Non.

— Vous n'avez pas traversé le salon?

— Non.

— Vous n'êtes pas entrée, même sans préméditation, dans le bureau de Mlle Vague?

— Non. J'ajoute que je considère ces questions comme injurieuses.

— C'est mon devoir de les poser.

— Vous oubliez que mon père vit encore...

— C'est une menace?

— Je vous rappelle simplement que vous n'êtes pas dans votre bureau du quai des Orfèvres...

— Vous préférez que je vous y conduise?

— Je vous en défie...

Il préféra ne pas la prendre au mot. A Meung-sur-Loire, il lui arrivait de pêcher à la ligne et il avait sorti une fois de l'eau une anguille qu'il avait eu toutes les peines du monde à décrocher de l'hameçon. Sans cesse, elle lui glissait entre les doigts et elle avait fini par tomber dans l'herbe de la berge d'où elle avait rejoint l'eau du fleuve.

Il n'était pas ici pour son plaisir. Il ne pêchait pas à la ligne.

— Vous niez donc avoir tué Mlle Vague?

Les mêmes mots, sans cesse, le même regard d'homme qui essaye désespérément de comprendre un autre être humain.

— Vous le savez bien.

— Qu'est-ce que je sais?

— Que c'est mon pauvre mari qui l'a tuée...

— Pour quelle raison?

— Je vous l'ai dit... Au point où il en est, on n'a pas besoin de raison précise...

« Je vais vous confier une chose que je suis seule avec lui à connaître, parce qu'il me l'a confiée avant notre mariage... Ce mariage, il en avait peur... Il le remettait sans cesse... J'ignorais alors que, pendant ce temps, il consultait différents médecins...

« Savez-vous qu'à l'âge de dix-sept ans il a tenté de se suicider, par crainte de ne pas être un homme normal?... Il s'est ouvert les veines du poignet... Quand le sang a jailli, il a été pris de panique et a appelé à l'aide en prétendant à un accident...

« Vous savez ce que signifie cette tendance au suicide?... »

Maigret regrettait de n'avoir pas apporté la bouteille de vin avec lui. Tortu et le jeune Julien Baud devaient avoir été surpris de la trouver dans leur bureau en rentrant et sans doute l'avaient-ils déjà vidée.

— Il avait des scrupules... Il craignait que nos enfants ne soient pas normaux... Quand Bambi a commencé à grandir, à parler, il l'observait avec inquiétude...

C'était peut-être vrai. Il y avait certainement du vrai dans ce qu'elle disait, mais il conservait l'impression d'une sorte de décalage, de fêlure, entre les mots, les phrases et la réalité.

— Il est poursuivi par la peur de la maladie et de la mort, le docteur Martin en sait quelque chose...

— J'ai vu le docteur Martin ce matin.

Elle sembla marquer le coup, retrouva vite son assurance.

— Il ne vous en a pas parlé?

— Non... Et il n'a pas pensé un instant que votre mari pouvait être le meurtrier...

— Vous oubliez le secret professionnel, Commissaire...

Il commençait à apercevoir une lueur, mais elle restait vague, lointaine.

— J'ai eu aussi son frère au bout du fil... Il se trouve à Nice, où il participe à un congrès...

— C'était après ce qui s'est passé?

— Avant.

— Il n'a pas été impressionné?

— Il ne m'a pas conseillé de surveiller votre mari...

— Pourtant, il doit savoir...

Elle allumait encore une cigarette. Elle les fumait à la chaîne, en aspirant profondément.

— Vous n'avez jamais rencontré de gens qui ont perdu le contact avec la vie, avec la réalité, qui se retournent en quelque sorte sur eux-mêmes comme on retourne un gant?...

« Questionnez nos amis, nos amies... Demandez-leur si mon mari s'intéresse encore aux êtres humains... Il lui arrive, parce que j'insiste, de dîner avec quelques personnes, mais c'est à peine s'il s'aperçoit de leur présence et s'il leur adresse quelques mots...

« Il n'écoute pas, reste comme enfermé... »

— Est-ce lui qui choisit les amis et les amies dont vous parlez?

— Ce sont les gens que, dans notre situation, nous nous devons de rencontrer, des gens normaux, qui mènent une existence normale...

Il ne lui demanda pas ce qu'elle considérait comme une existence normale, préférant la laisser parler. Son monologue devenait de plus en plus instructif.

— Croyez-vous que, l'été dernier, il se soit seulement montré sur la plage ou à la piscine?... Il passait son temps dans le jardin, sous un arbre... Ce que, jeune fille, je prenais pour de la distraction, quand soudain il cessait de m'écouter, est une véritable impuissance à vivre avec les autres...

« Voilà pourquoi il s'est cloîtré dans son bureau, pourquoi il en sort à peine et nous regarde alors avec des yeux de hibou surpris par la lumière...

« Vous avez cherché trop vite à juger, monsieur Maigret... »

— J'ai une autre question à vous poser...

Il était sûr d'avance de la réponse.

— Avez-vous, depuis hier au soir, touché à votre revolver?

— Pourquoi y aurais-je touché?

— Ce n'est pas une question que j'attends de vous, mais une réponse...

— La réponse est non.

— Depuis combien de temps ne l'avez-vous plus manié?

— Des mois... Il y a une éternité que je n'ai pas mis ce tiroir en ordre...

— Vous y avez touché hier, pour me le montrer...

— J'avais oublié...

— Mais, comme je l'ai pris en main, mes empreintes digitales ont pu se superposer aux autres...

— C'est tout ce que vous trouvez?

Elle le regardait comme si elle était déçue de découvrir un Maigret aussi pataud, aussi maladroit.

— Vous venez de me parler avec complaisance de l'isolement de votre mari et de son absence de contact avec la réalité. Or, hier encore, il traitait, dans son bureau, une affaire extrêmement importante avec des hommes qui, eux, ont les deux pieds sur terre...

— Pourquoi croyez-vous qu'il ait choisi le Droit Maritime?... Il n'a jamais mis les pieds sur un bateau de sa vie... Il n'a aucun contact avec les marins... Tout se passe sur le papier... Tout est abstrait, ne comprenez-vous pas?... C'est encore une preuve de ce que je vous répète, de ce que vous vous refusez à envisager...

Elle se levait, se mettait à marcher dans la pièce comme quelqu'un qui réfléchit.

— Même sa marotte, le fameux article 64... N'est-ce pas une preuve qu'il a peur, peur de lui, et qu'il cherche à se rassurer?... Il sait que vous êtes ici, que vous me questionnez... Dans cette maison, personne n'ignore les allées et venues des uns et des autres... Savez-vous à quoi il pense?... Il souhaite que je m'impatiente, que je me montre nerveuse, que je me mette en colère, afin que je devienne suspecte à sa place...

« Moi en prison, il serait libre... »

— Un instant. Je ne comprends pas. De quelle liberté nouvelle jouirait-il?

— De toute sa liberté...

— Pour en faire quoi, à présent que Mlle Vague est morte?

— Il existe d'autres Mlle Vague...

— Vous prétendez donc, maintenant, que votre mari profiterait de votre absence de la maison pour avoir des maîtresses?

— Pourquoi pas? C'est encore une façon de se rassurer...

— En les tuant l'une après l'autre?

— Il ne tuerait pas nécessairement les autres...

— Il me semblait qu'il était incapable de contacts humains...

— Avec des gens normaux, des gens de notre monde...

— Parce que les gens qui ne sont pas de votre monde ne sont pas normaux?

— Vous savez très bien ce que j'ai voulu dire... Ma phrase signifie qu'il n'est pas normal qu'il les fréquente...

— Pourquoi?

On frappait à la porte, celle-ci s'ouvrait, découvrant Ferdinand en veste blanche.

— Un de ces messieurs voudrait vous parler, Monsieur Maigret...

— Où est-il?

— Ici, dans le couloir... Il m'a dit que c'est extrêmement urgent et je me suis permis de l'amener...

Le commissaire entrevit la silhouette de Lucas dans la pénombre du corridor.

— Vous permettez un instant, Madame Parendon?

Il ferma la porte derrière lui cependant que Ferdinand s'éloignait et que la femme de l'avocat restait seule dans son appartement.

— Qu'est-ce que c'est, Lucas?

— Elle a traversé deux fois le salon ce matin.

— Tu en es sûr?

— D'ici, vous ne pouvez pas voir, mais, du salon, on voit très bien... A une des fenêtres de la rue du Cirque, il y a presque toute la journée un infirme...

— Très vieux?

— Non... C'est un accidenté des jambes... Une cinquantaine d'années... Il s'intéresse à toutes les allées et venues de la maison et le lavage des voitures, surtout dans la Rolls, le fascine... D'après sa réponse à des questions accessoires que je lui ai posées, on peut se fier à son témoignage... Il s'appelle Montagné... Sa fille est sage-femme...

— A quelle heure l'a-t-il vue pour la première fois?

— Un peu après neuf heures et demie...

— Elle se dirigeait vers les bureaux?

— Oui... Il est plus familier que nous avec la topographie des lieux... C'est ainsi qu'il est au courant des relations entre Parendon et sa secrétaire...

— Comment était-elle habillée?

— En robe de chambre bleue...

— Et la seconde fois?

— Moins de cinq minutes plus tard, elle a

traversé le salon dans l'autre sens... Un détail l'a frappé... La femme de chambre se tenait au fond de ce salon, à prendre les poussières, et elle ne l'a pas vue...

— Mme Parendon n'a pas vu sa femme de chambre?

— Non.

— Tu as questionné Lise?

— Ce matin, oui.

— Elle ne t'a pas parlé de cet incident?

— Elle prétend qu'elle n'a rien vu...

— Merci, vieux...

— Qu'est-ce que je fais?

— Vous m'attendez tous les deux. Pas de confirmation des dires du nommé Montagné?...

— Seulement une petite bonne, au cinquième, qui croit avoir aperçu quelque chose de bleu à la même heure.

Maigret frappa à la porte du boudoir, entra au moment où Mme Parendon sortait de sa chambre. Il prit le temps de vider sa pipe, de la bourrer.

— Voudriez-vous avoir l'amabilité d'appeler votre femme de chambre?

— Vous avez besoin de quelque chose?

— Oui.

— Comme vous voudrez.

Elle pressa un bouton. Quelques instants s'écoulèrent en silence et Maigret, en regardant cette femme qu'il torturait, ne pouvait s'empêcher d'avoir la poitrine serrée.

Il se répétait mentalement les termes de l'article 64 dont il était tant question dans la maison depuis trois jours :

Il n'y a ni crime ni délit lorsque le prévenu était en état de démence au temps de l'action, ou lorsqu'il a été contraint par une force à laquelle il n'a pu résister.

Est-ce que l'homme que Mme Parendon venait de lui décrire, son mari, aurait pu, à un moment donné, agir dans un état de démence?

Avait-elle lu, elle aussi, des ouvrages de psychiatrie? Ou bien...

Lise entrait, peureuse.

— Vous m'avez appelée, Madame?

— C'est M. le Commissaire qui désire vous parler.

— Fermez la porte, Lise... Ne craignez rien... Ce matin, lorsque vous avez répondu à mes inspecteurs, vous étiez sous le coup de l'émotion et vous n'avez certainement pas mesuré l'importance de leurs questions.

La pauvre fille regardait tour à tour le commissaire et sa patronne qui s'était assise dans la bergère, jambes croisées, renversée en arrière, l'air indifférent comme si cela ne la concernait pas.

— Il est fort possible que vous ayez à témoigner en cour d'assises, où vous devrez prêter serment... On vous posera les mêmes questions... S'il est établi que vous mentez, vous encourrez alors une peine de prison...

— Je ne sais pas de quoi vous parlez...

— On a établi l'emploi du temps de tous les membres du personnel entre neuf heures et quart et dix heures.. Un peu après neuf heures et demie, mettons à neuf heures trente-cinq, vous preniez les poussières dans le salon... Est-ce exact?...

Encore un regard à Mme Parendon, qui évitait de la regarder, puis une voix faible :

— C'est vrai...

— A quelle heure êtes-vous entrée dans le salon?

— Vers neuf heures et demie... Un peu après...

— Vous n'avez donc pas vu Mme Parendon se diriger vers les bureaux.

— Non...

— Mais, peu après votre arrivée, alors que vous vous teniez dans le fond de la pièce, vous l'avez vue passer en sens contraire, c'est-à-dire se dirigeant vers cet appartement...

— Qu'est-ce que je dois faire, Madame?

— Cela vous regarde, ma fille. Répondez à la question qu'on vous pose...

Des larmes coulaient sur les joues de Lise, qui avait roulé en boule le mouchoir pris dans la poche de son tablier.

— On vous a dit quelque chose? demanda-t-elle naïvement à Maigret.

— Comme on vient de vous le recommander, répondez à la question...

— Cela servira à accuser Madame?

— Cela servira à confirmer un autre témoignage, celui d'une personne qui habite rue du Cirque et qui, de sa fenêtre, vous a vues toutes les deux...

— Alors, ce n'est pas la peine que je mente... C'est vrai... Pardon, Madame...

Elle voulut se précipiter vers sa patronne, peut-être se jeter à ses genoux, mais Mme Parendon lui dit sèchement.

— Si le commissaire en a fini avec vous, vous pouvez disposer.

Elle sortit et, à la porte, éclata en sanglots.

— Qu'est-ce que cela prouve? questionna la

femme, à nouveau debout, une cigarette tremblante aux lèvres, les mains dans les poches de son négligé bleu.

— Que vous avez menti au moins une fois.

— Je suis ici chez moi et je n'ai pas à rendre compte de mes allées et venues...

— En cas de meurtre, si. Je vous avais avertie en vous posant la question...

— Ce qui signifie que vous allez m'arrêter?

— Je vais vous demander de m'accompagner quai des Orfèvres.

— Vous avez un mandat?

— En blanc. Un mandat d'amener, où il me suffira d'écrire votre nom.

— Et ensuite?

— Cela ne dépendra plus de moi.

— De qui?

— Du juge d'instruction... Puis, sans doute, des médecins...

— Vous pensez que je suis folle?

Il lisait de la panique dans ses yeux.

— Répondez-moi... Vous pensez que je suis folle?

— Ce n'est pas à moi de répondre...

— Je ne le suis pas, vous entendez?... Et, si même j'ai tué, ce que je continue à nier, ce n'est pas dans une crise de folie...

— Puis-je vous demander de me remettre votre revolver?

— Prenez-le vous-même... Il est dans le tiroir du haut de ma coiffeuse...

Il entra dans la chambre où tout était d'un rose pâle. Les deux pièces, l'une bleue, l'autre rose, faisaient penser à un tableau de Marie Laurencin.

Le lit était encore défait, un grand lit bas, de

style Louis XVI. Les meubles étaient peints en gris pâle. Sur la coiffeuse, il aperçut des pots de crème, des flacons, tout l'assortiment des produits que les femmes utilisent pour lutter contre la marque du temps.

Il haussa les épaules. Cet étalage intime le rendait mélancolique. Il pensait à Gus, qui avait écrit la première lettre.

Est-ce que, sans son intervention, les choses se seraient passées de la même façon?

Il prenait le revolver dans le tiroir où se trouvaient aussi des écrins à bijoux.

Il ne savait quelle réponse donner à la question. Peut-être Mme Parendon s'en serait-elle prise à son mari au lieu de s'en prendre à la jeune fille? Peut-être aurait-elle attendu quelques jours de plus? Peut-être se serait-elle servie d'une autre arme?

Il fronça les sourcils en rentrant dans le boudoir où la femme, debout devant la fenêtre, lui tournait le dos. Il découvrait que ce dos commençait à se voûter. Les épaules lui paraissaient plus étroites, plus osseuses.

Il tenait l'arme à la main.

— Je veux jouer franc jeu avec vous... prononça-t-il. Je ne puis encore rien établir, mais je suis persuadé que ce revolver, quand vous avez traversé le salon, peu après neuf heures et demie, se trouvait dans la poche de votre robe de chambre...

« Je me demande même si ce n'était pas votre mari que vous aviez, à ce moment précis, l'intention de tuer... Le témoignage de l'infirme de la rue du Cirque permettra peut-être de le prouver... Sans doute vous êtes-vous approchée de la porte?

Vous avez entendu des voix, car votre mari était alors en conférence avec René Tortu...

« L'idée vous est venue alors de procéder à une sorte de substitution... N'était-ce pas atteindre votre mari aussi profondément, sinon plus profondément, en tuant Antoinette Vague qu'en le tuant lui-même?... Sans compter que, du coup, vous le rendiez suspect...

« Dès hier, lors de notre entretien, vous avez préparé le terrain... Vous avez continué aujourd'hui...

« Sous prétexte d'aller chercher un timbre, du papier à lettres, que sais-je, vous êtes entrée dans le bureau de la secrétaire qui vous a saluée distraitement et s'est penchée à nouveau sur son travail...

« Vous avez aperçu le grattoir, qui rendait le revolver inutile, d'autant mieux que celui-ci risquait d'alerter quelqu'un... »

Il se tut, alluma sa pipe comme à regret et resta là, à attendre, après avoir glissé le browning de nacre dans sa poche. Une éternité s'écoula. Les épaules de Mme Parendon ne bougeaient pas. Elle ne pleurait donc pas. Elle lui tournait toujours le dos et, quand elle lui fit enfin face, il découvrit un visage pâle, figé.

Personne, en la regardant, n'aurait pu se douter de ce qui s'était passé ce jour-là avenue Marigny et encore moins de ce qui venait de se passer dans tout le bleu du boudoir.

— Je ne suis pas folle, martela-t-elle.

Il ne répondit pas. A quoi bon? Et d'ailleurs, qu'en savait-il?

CHAPITRE VIII

— HABILLEZ-VOUS, Madame, dit-il doucement. Vous pouvez aussi préparer une valise avec du linge de rechange, des objets personnels... Peut-être vaut-il mieux que vous appeliez Lise?

— Pour être sûr que je ne me suiciderai pas?... Il n'y a aucun danger, rassurez-vous, mais vous pouvez en effet pousser le bouton qui est à votre droite...

Il attendit l'arrivée de la femme de chambre.

— Vous allez aider Mme Parendon...

Puis il suivit lentement le couloir, la tête baissée vers la moquette. Il se trompa de chemin, prit un corridor pour un autre, aperçut Ferdinand et la grosse Mme Vauquin dans la cuisine à porte vitrée. Devant Ferdinand, il y avait la moitié à peu près d'un litre de rouge dont le valet de chambre venait de se servir un verre, assis à table, les coudes sur celle-ci, un journal devant les yeux.

Il entra.

Tous les deux sursautèrent et Ferdinand se mit debout d'une détente.

— Donnez-m'en un verre, voulez-vous?

— J'ai rapporté l'autre bouteille du bureau...

A quoi bon? Au point où il en était, un vieux Saint-Emilion ou du gros rouge...

Il n'osa pas dire qu'il aurait préféré le gros rouge.

Il but lentement, le regard dans le vide. Il ne protesta pas quand le valet de chambre remplit son verre une seconde fois.

— Où sont mes hommes?

— Près du vestiaire... Ils n'ont pas voulu s'installer au salon...

Instinctivement, ils gardaient la sortie.

— Lucas, tu vas retourner dans le couloir où tu es venu tout à l'heure. Tu te tiendras devant la porte du boudoir où tu m'attendras.

Il alla retrouver Ferdinand.

— Le chauffeur est dans la maison?

— Vous avez besoin de lui? Je l'appelle tout de suite.

— Ce que je désire, c'est qu'il se trouve avec la voiture sous la voûte dans quelques minutes... Il y a des journalistes sur le trottoir?

— Oui, Monsieur.

— Des photographes?

— Oui...

Il frappa à la porte du bureau de Parendon. Celui-ci était seul devant des papiers épars qu'il annotait au crayon rouge. Il aperçut Maigret, resta immobile à le regarder sans oser lui poser de question. Ses yeux bleus, derrière les verres épais, avaient une expression à la fois douce et d'une tristesse que Maigret avait rarement rencontrée.

Avait-il besoin de parler? L'avocat avait compris. En attendant le commissaire, il s'était raccroché à ses papiers comme à une épave.

— Vous aurez l'occasion, je pense, d'étudier davantage l'article 64, Monsieur Parendon...

— Elle a avoué?

— Pas maintenant...

— Vous croyez qu'elle avouera?

— Il viendra un moment, cette nuit, dans dix jours ou dans un mois, où elle craquera, et j'aime mieux ne pas être présent...

Le petit homme tira son mouchoir de sa poche et se mit à nettoyer les verres de ses lunettes comme si c'était une opération de première importance. Du coup, ses prunelles semblaient fondre, se diluer dans le blanc de la cornée. Il n'y avait que sa bouche à exprimer une émotion quasi enfantine.

— Vous l'emmenez?

La voix était à peine audible.

— Pour éviter les commentaires des journalistes et pour que son départ revête une certaine dignité, elle prendra sa voiture. Je donnerai des instructions au chauffeur et nous arriverons ensemble à la P.J...

Parendon le regardait avec reconnaissance.

— Vous ne voulez pas la voir? questionna Maigret tout en se doutant de la réponse.

— Pour lui dire quoi?

— Je sais. Vous avez raison. Les enfants sont ici?

— Gus est au lycée. J'ignore si Bambi est dans sa chambre ou si elle a un cours cet après-midi...

Maigret pensait à la fois à celle qui allait partir et à ceux qui restaient. Pour eux aussi, la vie, pendant un certain temps au moins, allait être difficile.

— Elle n'a pas parlé de moi?

L'avocat posait la question timidement, presque craintivement.

— Elle m'a beaucoup parlé de vous...

Le commissaire comprenait à présent que ce n'était pas dans les livres que Mme Parendon avait trouvé les phrases qui semblaient accuser son mari. C'était en elle. Elle avait opéré une sorte de transfert, projetant sur lui ses propres troubles.

Il regarda la pendule, expliqua ce coup d'œil.

— Je lui donne le temps de s'habiller, de préparer sa valise... La femme de chambre est avec elle...

... lorsque le prévenu était en état de démence, ou lorsqu'il a été contraint par une force à laquelle...

Des hommes qu'il avait arrêtés parce que c'était son métier avaient été acquittés par les tribunaux, d'autres condamnés. Quelques-uns, dans les premiers temps de sa carrière surtout, avaient subi la peine capitale et deux d'entre eux lui avaient demandé d'être là au dernier moment.

Il avait commencé ses études de médecine. Il avait regretté de devoir y renoncer à cause des circonstances. S'il avait pu continuer, n'aurait-il pas choisi la psychiatrie?

C'est lui qui aurait dû, alors, répondre à la question :

... lorsque le prévenu était en état de démence au temps de l'action, ou lorsqu'il a été contraint par...

Peut-être regrettait-il moins l'interruption de ses études. Il n'aurait pas à décider.

Parendon se levait, se dirigeait vers lui d'une démarche hésitante, maladroite, tendait sa petite main.

— Je...

Mais il ne pouvait pas parler. Ils se contentaient de se serrer la main en silence, en se regardant dans les yeux. Puis Maigret se dirigeait vers la porte qu'il refermait sans se retourner.

Il fut surpris de voir Lucas avec Torrence près de la sortie. Un regard de son collaborateur en direction du salon lui expliqua pourquoi Lucas avait quitté son poste dans le couloir.

Mme Parendon était là, vêtue d'un tailleur clair, chapeautée et gantée de blanc, debout au milieu de la vaste pièce. Derrière elle se tenait Lise, une valise à la main..

— Allez tous les deux dans la voiture et attendez-moi...

Il se faisait l'effet d'un maître de cérémonie et il savait qu'il détesterait désormais le moment qu'il était en train de vivre.

Il s'avançait vers Mme Parendon, s'inclinait légèrement, et c'était elle qui parlait, d'une voix naturelle, paisible.

— Je vous suis.

Lise les accompagna dans l'ascenseur. Le chauffeur se précipita pour ouvrir la portière, fut surpris que Maigret n'entre pas dans la voiture derrière sa patronne.

Il alla mettre la valise dans le coffre.

— Vous conduirez directement Mme Parendon au 36, quai des Orfèvres, vous franchirez la voûte et vous tournerez à gauche dans la cour...

— Bien, Monsieur le Commissaire...

Maigret donna à l'auto le temps de franchir la haie de journalistes et de photographes qui ne comprenaient pas, puis, tandis qu'ils l'assaillaient de questions, il rejoignit Lucas et Torrence dans la petite auto noire de la P.J.

— Allez-vous procéder à une arrestation, Monsieur le Commissaire?

— Je ne sais pas...

— Avez-vous découvert le coupable?

— Je ne sais pas, mes enfants...

Il était sincère. Les mots de l'article 64 lui revenaient à la mémoire, un à un, terrifiants dans leur imprécision.

Le soleil continuait à briller, les marronniers à verdir, et il reconnaissait les mêmes personnages qui rôdaient autour du palais du Président de la République.

FIN

Epalinges 30-1-68

OUVRAGES DE GEORGES SIMENON

AUX PRESSES DE LA CITÉ (suite)

« TRIO »

I. — La neige était sale — Le destin des Malou — Au bout du rouleau
II. — Trois chambres à Manhattan — Lettre à mon juge — Tante Jeanne
III. — Une vie comme neuve — Le temps d'Anaïs — La fuite de Monsieur Monde
IV. — Un nouveau dans la ville — Le passager clandestin — La fenêtre des Rouet
V. — Pedigree
VI. — Marie qui louche — Les fantômes du chapelier — Les quatre jours du pauvre homme
VII. — Les frères Rico — La jument perdue — Le fond de la bouteille
VIII. — L'enterrement de M. Bouvet — Le grand Bob — Antoine et Julie

★

PRESSES POCKET

Monsieur Gallet, décédé
Le pendu de Saint-Pholien
Le charretier de la Providence
Le chien jaune
Pietr-le-Letton
La nuit du carrefour
Un crime en Hollande
Au rendez-vous des Terre-Neuvas
La tête d'un homme
La danseuse du gai moulin
Le relais d'Alsace
La guinguette à deux sous
L'ombre chinoise
Chez les Flamands
L'affaire Saint-Fiacre
Maigret
Le fou de Bergerac
Le port des brumes
Le passager du « Polarlys »
Liberty Bar
Les 13 coupables
Les 13 énigmes
Les 13 mystères
Les fiançailles de M. Hire
Le coup de lune
La maison du canal
L'écluse n° 1
Les gens d'en face
L'âne rouge
Le haut mal
L'homme de Londres

★

A LA N.R.F.

Les Pitard
L'homme qui regardait passer les trains
Le bourgmestre de Furnes
Le petit docteur
Maigret revient
La vérité sur Bébé Donge
Les dossiers de l'Agence O
Le bateau d'Émile
Signé Picpus
Les nouvelles enquêtes de Maigret
Les sept minutes
Le cercle des Mahé
Le bilan Malétras

ÉDITION COLLECTIVE SOUS COUVERTURE VERTE

I. — La veuve Couderc — Les demoiselles de Concarneau — Le coup de vague — Le fils Cardinaud
II. — L'Outlaw — Cour d'assises — Il pleut, bergère... — Bergelon
III. — Les clients d'Avrenos — Quartier nègre — 45° à l'ombre
IV. — Le voyageur de la Toussaint — L'assassin — Malempin
V. — Long cours — L'évadé
VI. — Chez Krull — Le suspect — Faubourg
VII. — L'aîné des Ferchaux — Les trois crimes de mes amis
VIII. — Le blanc à lunettes — La maison des sept jeunes filles — Oncle Charles s'est enfermé
IX. — Ceux de la soif — Le cheval blanc — Les inconnus dans la maison
X. — Les noces de Poitiers — Le rapport du gendarme G. 7
XI. — Chemin sans issue — Les rescapés du « Télémaque » — Touristes de bananes
XII. — Les sœurs Lacroix — La mauvaise étoile — Les suicidés
XIII. — Le locataire — Monsieur La Souris — La Marie du Port
XIV. — Le testament Donadieu — Le châle de Marie Dudon — Le clan des Ostendais

SÉRIE POURPRE

Le voyageur de la Toussaint
La maison du canal
La Marie du port

Achevé d'imprimer le 4 juin 1980
sur les presses de l'Imprimerie Bussière
à Saint-Amand (Cher)

— N° d'édit. 2591. — N° d'imp. 1247. —
Dépôt légal : 2e trimestre 1980.
Imprimé en France